Stendel

ROBERT FISHER

DER RITTER IN DER ROSTENDEN RÜSTUNG

Ein inspirierendes Märchen für Erwachsene

Aus dem Amerikanischen von
Nicole Kruska

Verlag Stendel

Die Originalausgabe erschien 1990 unter dem Titel
The Knight in Rusty Armor
© 1990 Robert Fisher
by Wilshire Book Company 12015 Sherman Road,
No. Hollywood, CA 91605-3781 USA
Für die deutsche Ausgabe
© Copyright 1999 by Verlag Stendel
Alle Rechte vorbehalten

Titel und Illustrationen: Ekart Stöhr
Satz: Verlag Stendel
Druck: Windhueter, Schorndorf

6. Auflage Mai 2010
ISBN 3-926789-30-1

Inhalt

Der Ritter steckt in der Klemme	7
In Merlins Wald	21
Der Pfad der Wahrheit	34
Die Burg Schweigen	45
Die Burg Erkenntnis	61
Die Burg Wille und Wagemut	80
Der Gipfel der Wahrheit	88

I. Der Ritter steckt in der Klemme

Vor langer Zeit lebte einst in einem fernen Land ein Ritter, der sich für gut, freundlich und liebevoll hielt. Er tat all die Dinge, die gute, freundliche und liebevolle Ritter tun.
Er kämpfte gegen Feinde, die böse, gemein und gehässig waren. Er tötete Drachen und befreite schöne Burgfräulein aus ihrer Not. Wenn das Rittergewerbe einmal nicht so gut lief, hatte er die lästige Angewohnheit, sogar Burgfräulein zu befreien, die gar nicht befreit werden wollten, und so waren ihm zwar viele edle Damen dankbar, ebenso viele waren aber auch wütend auf ihn.
Diesen Umstand nahm er jedoch mit philosophischer Gelassenheit hin. Schließlich kann man es nicht allen recht machen.
Dieser Ritter war berühmt wegen seiner Rüstung. Sie glänzte so strahlend, daß die Dorfbewohner jedesmal schworen, sie hätten die Sonne im Norden auf- oder im Osten untergehen sehen, wenn der Ritter auszog, um in die Schlacht zu reiten. Und er zog oft aus, um in die Schlacht zu reiten. Sobald ein Kreuzzug auch nur erwähnt wurde, legte er eifrig seine glänzende Rüstung an, stieg auf sein Pferd und ritt in irgendeine Richtung davon. Er war sogar derart eifrig, daß er

manchmal in mehrere Richtungen gleichzeitig davonritt, und das war keine geringe Leistung.
Jahrelang war dieser Ritter bestrebt, der allerbeste Ritter im ganzen Königreich zu werden. Immer wieder fand er neue Schlachten, die gewonnen, Drachen, die getötet, und Burgfräulein, die befreit werden mußten. Dieser Ritter hatte eine treue und gewissermaßen nachsichtige Frau, die Juliet hieß, wunderschöne Gedichte schrieb, kluge Dinge sagte und eine Schwäche für Wein hatte. Und er hatte auch einen kleinen Sohn, der Christopher hieß, goldenes Haar hatte und der, wie sein Vater hoffte, eines Tages ein tapferer Ritter sein würde.
Juliet und Christopher bekamen den Ritter nicht oft zu sehen, denn wenn er gerade einmal nicht in einer Schlacht kämpfte, einen Drachen tötete, oder ein Burgfräulein befreite, war er damit beschäftigt, seine Rüstung anzuprobieren und zu bewundern, wie sie

glänzte. Mit der Zeit verliebte sich der Ritter bis über beide Ohren in seine Rüstung, so daß er sogar anfing, sie zu den Mahlzeiten zu tragen und oftmals auch im Bett. Irgendwann wollte er sie dann gar nicht mehr ablegen. Nach und nach vergaß seine Familie, wie er eigentlich ohne Rüstung aussah.

Hin und wieder fragte Christopher seine Mutter, wie sein Vater aussehe. Dann führte Juliet den Jungen zum Kamin, zeigte auf ein Porträt des Ritters darüber und seufzte: »Das ist dein Vater.«

Eines Nachmittags, als sie wieder einmal das Bild betrachteten, sagte Christopher zu seiner Mutter: »Ich wünschte, ich könnte Vater persönlich sehen.«

»Man kann nicht alles haben!« fuhr Juliet ihn an, denn sie hatte langsam keine Lust mehr, sich ein Gemälde anzuschauen, wenn sie sich an das Gesicht ihres Mannes erinnern wollte, und sie war es leid, nachts vom Scheppern seiner Rüstung aus dem Schlaf gerissen zu werden.

War er einmal zu Hause und nicht vollauf mit seiner Rüstung beschäftigt, hielt der Ritter für gewöhnlich lang anhaltende Reden über seine Heldentaten. Juliet und Christopher kamen dabei nur selten zu Wort. Wenn sie doch einmal eines einwerfen konnten, wehrte der Ritter es ab, indem er entweder sein Visier herunterklappte oder urplötzlich einschlief.

Eines Tages stellte Juliet ihren Mann zur Rede. »Ich glaube, du liebst deine Rüstung mehr als mich.«

»Das ist nicht wahr«, antwortete der Ritter. »Habe ich dich nicht genug geliebt, um dich von dem Drachen zu befreien und dich in diesem schönen Schloß mit Steinfußboden unterzubringen?«

»In Wahrheit«, sagte Juliet, wobei sie durch sein Visier schielte, damit sie seine Augen sehen konnte, »hast du nur die Vorstellung geliebt, mich zu befreien. Du hast mich damals nicht wirklich geliebt, und du liebst mich auch heute nicht wirklich.«

»Natürlich liebe ich dich!« Und zur Bekräftigung seiner Worte umarmte der Ritter Juliet ungeschickt mit seiner kalten, steifen Rüstung und brach ihr dabei fast die Rippen.

»Dann leg diese Rüstung ab, damit ich sehen kann, wer du wirklich bist!« forderte sie.

»Ich kann sie nicht ablegen. Ich muß jederzeit bereit sein, auf mein Pferd zu steigen und in irgendeine Richtung davonzureiten«, erklärte der Ritter.

»Wenn du diese Rüstung nicht ablegst, nehme ich Christopher, steige auf mein Pferd und reite aus deinem Leben.«

Nun, das traf den Ritter wirklich sehr hart.

Er wollte nicht, daß Juliet wegging. Er liebte seine Frau und seinen Sohn und sein schönes Schloß, aber seine Rüstung liebte er auch, denn sie zeigte allen, wer er war - ein guter, freundlicher und liebevoller Ritter.

Warum nur konnte Juliet dies nicht erkennen?

Der Ritter war völlig verwirrt. Schließlich traf er eine Entscheidung. Nur zu gern hätte er die Rüstung anbehalten, aber sie war es nicht wert, daß er ihretwegen Juliet und Christopher verlor.

Widerstrebend hob der Ritter die Arme und versuchte, seinen Helm abzunehmen, doch der gab nicht nach! Er zog kräftiger. Der Helm lockerte sich nicht. Entsetzt versuchte der Ritter, das Visier hochzuklappen, doch auch das klemmte. Immer wieder zerrte der Ritter an dem Visier, aber nichts geschah.
In großer Aufregung schritt der Ritter auf und ab. Wie hatte das nur geschehen können? Vielleicht war es nicht so überraschend, daß der Helm klemmte, denn er hatte ihn seit Jahren nicht mehr abgenommen, doch mit dem Visier war es etwas anderes. Das hatte er zum Essen und Trinken regelmäßig geöffnet. Ja, heute morgen noch, beim Frühstück aus Rühreiern und Spanferkel, hatte er es hochgeklappt.
So schnell er konnte, lief der Ritter zur Werkstatt des Hufschmiedes im Burghof. Als er ankam, formte dieser gerade ein Hufeisen mit bloßen Händen.
»Schmied«, sagte der Ritter, »ich habe ein Problem.«
»Ihr seid ein Problem, werter Herr«, witzelte der Schmied, taktvoll wie immer.
Der Ritter, der sonst jederzeit für einen Scherz zu haben war, machte ein finsteres Gesicht. »Ich bin nicht in Stimmung für deine Sticheleien. Ich stecke in dieser Rüstung fest«, brüllte er und stampfte mit seinem eisengepanzerten Fuß auf.
Dabei trat er aus Versehen dem Schmied auf den großen Zeh.
Der Schmied heulte auf, vergaß für einen Augenblick, daß der Ritter sein Herr war und versetzte ihm einen kräftigen Schlag auf den Helm. Der Ritter verspürte

lediglich ein leichtes Unbehagen. Der Helm aber gab nicht nach.

»Versuch es noch einmal«, befahl der Ritter.

»Mit Vergnügen.« Der Schmied nahm einen Hammer, schwang ihn kraftvoll und ließ ihn auf den Helm hinuntersausen. Aber der Schlag hinterließ noch nicht einmal eine Delle.

Der Ritter war der Verzweiflung nahe. Der Schmied war bei weitem der stärkste Mann im Königreich. Wenn er den Ritter nicht aus seiner Rüstung befreien konnte, wer dann?

Der Schmied, der ein freundlicher Mann war, wenn ihm nicht gerade der große Zeh zerquetscht wurde, spürte die Angst des Ritters und bekam Mitleid. »Eure Not ist bitter, Herr. Aber gebt nicht auf. Kommt morgen in aller Frühe wieder, da bin ich ausgeruht. Ihr habt mich am Ende eines schweren Tages erwischt.«

Das Essen bereitete dem Ritter an jenem Abend große Schwierigkeiten. Juliet wurde immer ärgerlicher, während sie dem Ritter das pürierte Essen häppchenweise durch die Löcher im Visier drückte. Zwischendurch erzählte der Ritter Juliet, daß der Schmied versucht hätte, die Rüstung zu spalten, und daß es ihm nicht gelungen war.

»Ich glaube dir kein Wort, du scheppernder Klotz!« schrie Juliet und knallte dem Ritter den halbvollen Teller mit Taubeneintopf auf den Helm.

Der Ritter spürte nichts. Erst als vor den Augenlöchern in seinem Visier Soße heruntergetropft kam, wurde ihm bewußt, daß er einen Schlag auf den Kopf bekommen hatte. Auch vom Hammerhieb des Schmiedes am Nachmittag, hatte er kaum etwas gemerkt. Wenn er es sich recht überlegte, hielt ihn seine Rüstung davon ab, überhaupt noch viel zu spüren, und er trug sie schon so lange, daß er vergessen hatte, wie sich die Dinge ohne sie anfühlten.

Daß Juliet ihm nicht glauben wollte, kränkte den Ritter. Er und der Schmied hatten doch wirklich versucht, die Rüstung herunterzubekommen. Auch in den nächsten Tagen mühte sich der Schmied, doch ohne Erfolg. Mit jedem Tag wurde der Ritter mutloser und Juliet kälter.

Schließlich mußte der Ritter sich eingestehen, daß die Bemühungen des Schmiedes vergeblich waren.

»Der stärkste Mann im Königreich, daß ich nicht lache! Du kannst ja noch nicht einmal diesen Schrotthaufen aufbrechen.«

Als der Ritter heimkam, kreischte Juliet ihn an. »Dein Sohn hat nichts als ein Gemälde zum Vater, und ich bin es leid, mit einem geschlossenen Visier zu sprechen. Ich werde nie wieder Essen durch die Löcher von diesem verflixten Ding drücken. Ich habe zum allerletzten Mal ein Lammkotelett püriert!«

»Ich kann doch nichts dafür, daß ich in dieser Rüstung gefangen bin! Ich mußte sie doch tragen, um jederzeit in die Schlacht ziehen zu können. Wie hätte ich denn sonst für dich und Christopher schöne Schlösser und Pferde kaufen sollen?«

»Das hast du nicht für uns getan«, widersprach Juliet. »Für dich selbst hast du es getan!«

Der Ritter war zutiefst betrübt darüber, daß seine Frau ihn nicht mehr zu lieben schien. Außerdem fürchtete er, daß Juliet und Christopher ihn tatsächlich verlassen würden, wenn er nicht bald seine Rüstung loswurde. Doch er wußte nicht, wie er das anstellen sollte. Der Ritter tat eine Idee nach der anderen als undurchführbar ab. Einige seiner Pläne waren reichlich gefährlich, und ihm wurde klar, daß ein Ritter, der auch nur daran dachte, sich seine Rüstung mit einer Fackel abzuschmelzen, oder sie abzufrieren, indem er in einen Burggraben mit eiskaltem Wasser sprang, oder sie mit einer Kanone abzusprengen, dringend Hilfe brauchte. Da es im ganzen Königreich aber offenbar niemanden gab, der ihm hätte helfen können, beschloß der Ritter, in anderen Ländern zu suchen. Irgendwo mußte es doch irgend jemanden geben, der ihm helfen konnte, sich aus dieser Rüstung zu befreien.

Natürlich würde er Juliet und Christopher vermissen und sein schickes Schloß. Er fürchtete auch, daß Juliet in seiner Abwesenheit bei einem anderen Ritter Liebe finden könnte, bei einem, der bereit war, vor dem Zubettgehen seine Rüstung abzulegen und Christopher ein guter Vater zu sein. Nichtsdestotrotz mußte der Ritter fort, und so stieg er eines frühen Morgens auf sein Pferd und ritt davon. Er wagte nicht zurückzuschauen, aus Angst, er könnte es sich anders überlegen.

Bevor er das Königreich verließ, machte der Ritter noch einmal Halt, um dem König, der immer sehr

gut zu ihm gewesen war, auf Wiedersehen zu sagen. Der König lebte in einem prachtvollen Schloß, das oben auf einem Berg stand. Als der Ritter über die Zugbrücke in den Burghof ritt, sah er dort den Hofnarren im Schneidersitz hocken. Er spielte auf einer Schalmei.

Der Narr wurde Glückssack genannt, denn über der Schulter trug er einen wunderschönen, regenbogenfarbenen Sack, und in diesem Sack hatte er viele Dinge, mit denen er die Menschen zum Lachen oder zum Lächeln bringen konnte. Er hatte seltsame Karten, mit denen er den Leuten die Zukunft vorhersagte, leuchtend bunte Perlenschnüre, die er verschwinden und wieder auftauchen ließ, und lustige kleine Marionetten, die er benutzte, um sein Publikum lachend zu beleidigen.

»Hallo, Glückssack«, sagte der Ritter. »Ich bin gekommen, um dem König Lebewohl zu sagen.«

Der Narr sah ihn an.

»Der König ist auf und davon gegangen,
da könnt Ihr lang warten
mit Euren Belangen.«

»Wo ist er denn hin?« fragte der Ritter.

»Zum Kreuzzug ist er aufgebrochen,
hat lang schon
mit keinem hier gesprochen.«

Der Ritter war enttäuscht, weil er den König verpaßt hatte, und bedrückt, weil er ihn nicht auf seinem Kreuzzug begleiten konnte.
»Ach«, seufzte er, »bis der König zurückkommt, bin ich in dieser Rüstung vielleicht schon verhungert. Bestimmt sehe ich ihn nie wieder.«
Nur allzu gern wäre der Ritter im Sattel zusammengesackt, aber natürlich ließ seine Rüstung das nicht zu.

>»Ihr macht 'ne klägliche Figur,
>wo bleibt denn
>Eure Macht jetzt nur?«

»Ich bin nicht in der Stimmung für deine beleidigenden Reime«, bellte der Ritter und spannte jeden Muskel an. »Kannst du nicht ein einziges Mal die Probleme eines anderen ernst nehmen?«
Glückssack sang mit klarer, wohlklingender Stimme:

>»Ein Problem zu beweinen,
>bringt mich nicht weiter.
>Ich mach was draus und nehm es heiter.«

»Du würdest ganz anders reden, wenn du derjenige wärst, der in dieser Rüstung feststeckt.«

>»Feststecken tun wir doch irgendwie alle,
>nur Ihr sitzt in einer
>sichtbaren Falle.«

»Ich habe keine Zeit, hier zu stehen und mir diesen Unsinn anzuhören. Ich muß einen Weg finden, aus dieser Rüstung herauszukommen.«
Mit diesen Worten trieb der Ritter sein Roß vorwärts, doch Glückssack rief ihm nach:

>»Ich kenne einen, dem könnt es gelingen,
> Euer wahres Ich
> ans Licht zu bringen.«

Der Ritter zügelte sein Pferd und kehrte um.
»Du kennst jemanden, der mir aus dieser Rüstung heraushelfen kann? Wer ist es?«

>»Merlin, der Zauberer ist der Mann,
> der Euch zur Freiheit
> verhelfen kann.«

»Merlin? Der einzige Merlin, von dem ich je gehört habe, ist der große und weise Lehrer von König Artus.«

>»Ja, richtig, das hat ihn berühmt gemacht.
> An diesen Merlin
> hatte ich gedacht.«

»Aber das ist unmöglich! Merlin und Artus haben vor langer Zeit gelebt!«

>»Glaubt's mir, er lebt und ist gesund,
> dort drüben im Wald
> wohnt der Weise zur Stund.«

»Aber der Wald ist so groß«, sagte der Ritter. »Wie soll ich ihn dort finden?«
Glückssack lächelte.

>»Ich kann's Euch nicht sagen,
> doch laßt mich verkünden:
> Ist der Schüler bereit,
> wird der Lehrer ihn finden.«

»Ich kann nicht warten, bis Merlin von allein auftaucht. Ich werde nach ihm suchen.« Dankbar ergriff der Ritter Glückssacks Hand und schüttelte sie. Dabei zerquetschte er dem Narren beinahe die Finger mit seinem Panzerhandschuh.
Glückssack schrie auf. Schnell ließ der Ritter die Hand des Narren los. »Tut mir leid.«
Glückssack rieb sich die schmerzenden Finger.

>»Ist's erst einmal runter, das Eisenkleid,
> fühlt Ihr auch
> andrer Leute Leid.«

»Ich muß los!«
Der Ritter riß sein Pferd herum und galoppierte davon. Mit neuer Hoffnung im Herzen machte er sich auf die Suche nach Merlin.

II. In Merlins Wald

Den weisen Zauberer zu finden, war gar nicht so einfach. Es gab so viele Bäume im Wald, aber nur einen einzigen Merlin. So ritt der arme Ritter weiter, Tag für Tag, Nacht für Nacht und wurde dabei immer schwächer.

Während er allein durch den Wald ritt, wurde ihm klar, daß es vieles gab, was er nicht wußte. Er hatte sich für sehr klug gehalten, aber jetzt, da er versuchte, allein im Wald jemanden zu finden, kam er sich auf einmal gar nicht mehr so klug vor.

Widerstrebend mußte er sich eingestehen, daß er nicht einmal die giftigen Beeren von den eßbaren unterscheiden konnte. Das machte aus jeder Mahlzeit eine Art Russisches Roulette. Trinken war nicht weniger gefährlich. Der Ritter versuchte, den Kopf in einen Fluß zu stecken, doch sein Helm füllte sich mit Wasser. Zweimal wäre er dabei fast ertrunken. Zu allem Übel hatte er sich auch noch verirrt, kaum daß er in den Wald hineingeritten war. Der Ritter wußte nicht einmal, wo Nord und Süd, Ost und West war. Glücklicherweise wußte es sein Pferd.

Nachdem er monatelang vergeblich gesucht hatte, war der Ritter ziemlich entmutigt. Er hatte Merlin immer noch nicht gefunden, obwohl er schon so viele Wegstunden hinter sich gebracht hatte. Und die

Tatsache, daß er noch nicht einmal wußte, wie weit eine Wegstunde eigentlich war, trug auch nicht gerade dazu bei, daß er sich besser fühlte.

Als er eines Morgens aufwachte, fühlte er sich noch schwächer und zudem ein wenig seltsam. Das war der Morgen, an dem er Merlin fand. Der Ritter erkannte den Zauberer sofort. Er saß unter einem Baum, gekleidet in ein langes, weißes Gewand. Tiere des Waldes hatten sich um ihn geschart, und Vögel saßen auf seinen Schultern und Armen.

Niedergeschlagen schüttelte der Ritter den Kopf, wobei seine Rüstung knirschte. Wie haben all diese Tiere Merlin so leicht finden können, wo es doch für mich so schwierig war?

Erschöpft stieg der Ritter vom Pferd. »Ich habe dich gesucht«, sagte er zu dem Zauberer. »Seit Monaten irre ich schon umher.«

»Dein ganzes Leben lang«, berichtigte ihn Merlin, biß ein Stück von einer Karotte ab und teilte es mit einem Kaninchen, das neben ihm saß.

Der Ritter spannte jeden Muskel an. »Ich bin nicht den ganzen Weg hierher gekommen, um mich beleidigen zu lassen.«

»Vielleicht hast du ja die Wahrheit schon immer für eine Beleidigung gehalten.« Merlin teilte den Rest der Karotte mit ein paar anderen Tieren.

Diese Bemerkung gefiel dem Ritter auch nicht besonders, aber Hunger und Durst hatten ihn so sehr geschwächt, daß er nicht mehr auf sein Pferd steigen und davonreiten konnte. Und so ließ er sich samt sei-

ner Eisenhülle ins Gras fallen. Merlin sah ihn mitleidig an. »Du hast großes Glück, daß du zu schwach bist, um davonzulaufen.«
»Was soll das heißen?« fuhr der Ritter ihn an.
Merlin antwortete mit einem Lächeln. »Niemand kann davonlaufen und gleichzeitig lernen. Dazu muß man für eine Weile an einem Ort bleiben.«
»Ich werde nur so lange hierbleiben, bis ich gelernt habe, wie ich aus dieser Rüstung herauskomme«, sagte der Ritter.
»Wenn du das gelernt hast, wirst du nie wieder auf dein Pferd steigen und in alle Richtungen davonreiten müssen.«
Der Ritter war zu müde, um das in Frage zu stellen. Er fühlte sich beruhigt und schlief auf der Stelle ein.
Als der Ritter aufwachte, sah er sich von Merlin und den Tieren umringt. Er versuchte, sich aufzusetzen, aber er war zu schwach. Merlin reichte ihm einen silbernen Kelch mit einer Flüssigkeit von merkwürdiger Farbe. »Trink das«, befahl er.
»Was ist das?« Der Ritter musterte den Kelch mißtrauisch.
»Du bist so ängstlich«, antwortete Merlin. »Aber das war ja schließlich auch der Grund, weshalb du diese Rüstung überhaupt erst angelegt hast.«
Der Ritter machte sich nicht die Mühe, das zu leugnen. Er hatte einfach zu großen Durst.
»Also gut. Schütte es in mein Visier.«
»Das werde ich nicht tun. Es ist zu kostbar, um es zu verschwenden.« Merlin pflückte ein Schilfrohr,

steckte das eine Ende in den Kelch und das andere durch eines der Löcher im Visier des Helms.
»Das ist eine tolle Idee!« sagte der Ritter.
»Ich nenne es einen Strohhalm«, antwortete Merlin.
»Warum?«
»Warum nicht?«
Der Ritter zuckte die Schultern und schlürfte die Flüssigkeit durch das Schilfrohr. Die ersten Schlucke schmeckten bitter, die nächsten angenehmer, und die letzten waren einfach nur köstlich. Dankbar gab der Ritter den Kelch zurück.
»Du solltest das Zeug auf den Markt bringen. Du könntest es krügeweise verkaufen.«
Merlin lächelte nur.
»Was ist das?« wollte der Ritter nochmals wissen.
»Der Trank des Lebens«, antwortete Merlin.
»Des Lebens?«
»Ja«, sagte der weise Zauberer. »Schien er nicht zuerst bitter, und dann, nachdem du ein wenig mehr davon gekostet hattest, schmeckte er da nicht angenehm?«
Der Ritter nickte. »Ja, und zuletzt war es einfach nur köstlich.«
»Das war, als du begonnen hast anzunehmen, was du getrunken hast.«
»Willst du damit sagen, daß das Leben gut schmeckt, wenn man es annimmt?«
»Tut es das denn nicht?« Belustigt zog Merlin eine Augenbraue hoch.

»Erwartest du von mir, daß ich diese schwere Rüstung annehme?«

»Nun«, sagte Merlin, »mit dieser Rüstung bist du nicht auf die Welt gekommen. Du hast sie selbst angelegt. Hast du dich schon jemals gefragt, warum?«

»Warum nicht?« gab der Ritter gereizt zurück. Er war es nicht gewohnt, über solche Dinge nachzudenken und bekam langsam Kopfschmerzen.

»Du wirst klarer denken können, wenn du wieder bei Kräften bist«, sagte Merlin.

Bei diesen Worten klatschte der Zauberer in die Hände, und schon stellten sich die Eichhörnchen, mit Nüssen im Maul, in einer Reihe vor dem Ritter auf. Eines nach dem anderen kletterte dem Ritter auf die Schulter, knackte und zerbiß eine Nuß und schob dann die Stücke durch das Visier. Die Kaninchen machten es mit ihren Karotten ebenso, und die Rehe zerkleinerten Wurzeln und Beeren, damit der Ritter sie essen konnte.

Das Gesundheitsamt würde eine solche Fütterungsmethode niemals billigen, aber was bleibt einem Ritter, der mitten im Wald in seiner Rüstung feststeckt, anderes übrig?

Die Tiere fütterten den Ritter regelmäßig, und Merlin gab ihm große Kelche des Lebenstrankes mit dem Strohhalm zu trinken.

Allmählich wurde der Ritter kräftiger und fing an, neue Hoffnung zu schöpfen.

Jeden Tag stellte er Merlin dieselbe Frage: »Wann komme ich endlich aus dieser Rüstung heraus?«

Jeden Tag erwiderte Merlin: »Geduld! Du trägst diese Rüstung schon sehr lange. Da kommst du nicht so einfach wieder heraus.«

Eines Abends hörten die Tiere und der Ritter dem Zauberer zu, der auf seiner Laute spielte und dazu sang. Der Ritter wartete, bis Merlin »Oh höret nun von alten Zeiten, von kühnen Rittern und stolzen Maiden« zu Ende gespielt hatte, und stellte dann eine Frage, die ihn schon lange beschäftigte. »Warst du wirklich der Lehrer von König Artus?«

Die Miene des Zauberers erhellte sich. »Ja, Artus hat von mir gelernt.«

»Aber wie kann es sein, daß du noch immer am Leben bist? Artus hat vor ewigen Zeiten gelebt!« rief der Ritter.

»Die Vergangenheit, die Gegenwart und die Zukunft sind alle eins, wenn man mit der Quelle verbunden ist.«

»Was ist die Quelle?«

»Das ist die geheimnisvolle, unsichtbare Macht, aus der alles entspringt.«

»Das verstehe ich nicht«, sagte der Ritter.

»Das kommt daher, daß du versuchst, mit deinem Verstand zu verstehen, doch dein Verstand ist begrenzt.«

»Ich habe einen sehr guten Verstand«, widersprach der Ritter.

»Und einen sehr klugen«, fügte Merlin hinzu. »Ihm hast du es zu verdanken, daß du jetzt in dieser Rüstung gefangen bist.«

Dem hatte der Ritter nichts entgegenzusetzen. Dann fiel ihm ein, was Merlin zu ihm sagte, als er angekommen war.

»Du hast mir einmal gesagt, ich hätte diese Rüstung nur angelegt, weil ich Angst hatte.«
»Ist das denn nicht so?«
»Nein, ich habe sie zum Schutz getragen, wenn ich in die Schlacht gezogen bin.«
»Und du hattest Angst, du könntest verletzt oder getötet werden«, fügte Merlin hinzu.
»Hat die nicht jeder?«
Merlin schüttelte den Kopf. »Wer hat dir denn bloß gesagt, du müßtest in die Schlacht ziehen?«
»Ich mußte doch beweisen, daß ich ein guter, freundlicher und liebevoller Ritter bin.«
»Wenn du wirklich ein guter, freundlicher und liebevoller Ritter bist, warum mußt du es dann beweisen?« fragte Merlin.
Der Ritter wollte nicht mehr darüber nachdenken und ergriff die Flucht, indem er tat, was er immer tat, wenn er sich mit irgend etwas nicht beschäftigen wollte - er schlief ein.
Am nächsten Morgen erwachte er mit einem sonderbaren Gedanken im Kopf, den er nicht mehr loswurde. Kann es sein, daß ich nicht gut, freundlich und liebevoll bin?
Er beschloß, Merlin zu fragen.
»Was glaubst du denn?« sagte Merlin.
»Wieso beantwortest du jede Frage mit einer Gegenfrage?«

»Und wieso suchst du die Antworten zu all deinen Fragen bei anderen?«
Der Ritter stapfte wütend davon und schimpfte vor sich hin. »Dieser Merlin!« brummelte er. »Manchmal bringt er mich wirklich in Harnisch!«
Der Ritter ließ sich mit einem dumpfen Geräusch unter einen Baum fallen und grübelte über Merlins Fragen nach.
»Kann es sein«, sagte der Ritter laut zu niemandem außer sich selbst, »daß ich nicht gut, freundlich und liebevoll bin?«
»Kann sein«, sagte ein zartes Stimmchen. »Sonst würdest du wohl kaum auf meinem Schwanz sitzen.«
»Was?« Der Ritter schielte hinunter und sah ein kleines Eichhörnchen neben sich sitzen. Sein Schwanz war nicht zu sehen.
»Oh Verzeihung!« sagte der Ritter und hob schnell das Bein, damit das Eichhörnchen seinen Schwanz befreien konnte. »Hoffentlich habe ich dir nicht weh getan. Ich sehe nicht sehr viel mit diesem Visier vor den Augen.«
»Das glaube ich dir sogar«, sagte das Eichhörnchen mit freundlicher Stimme. »Deshalb mußt du dich ja auch ständig dafür entschuldigen, daß du irgend jemandem weh getan hast.«
»Das einzige, was mich noch mehr aufregt als ein überaus schlauer Zauberer, ist ein überaus schlaues Eichhörnchen«, meckerte der Ritter. »Ich habe es

nicht nötig, hier zu sitzen und mit dir zu reden.«
Er kämpfte gegen das Gewicht der Rüstung an und versuchte, auf die Beine zu kommen. Plötzlich platzte er überrascht heraus: »He, ... wir beide reden ja miteinander!«
»Dank meiner Gutmütigkeit«, erwiderte das Eichhörnchen. »Immerhin hast du auf meinem Schwanz gesessen.«
»Aber Tiere können doch gar nicht sprechen.«
»Und ob wir das können«, sagte das Eichhörnchen. »Nur hören uns die Menschen nicht zu.«
Der Ritter schüttelte erstaunt den Kopf. »Du hast schon früher mit mir gesprochen?«
»Natürlich. Jedesmal, wenn ich eine Nuß geknackt und sie dir durchs Visier geschoben habe.«
»Wie kommt es, daß ich dich jetzt auf einmal hören kann, wenn ich es vorher nicht konnte?«
»Ich weiß ja, daß du gerne Fragen stellst«, bemerkte das Eichhörnchen. »Aber kannst du nicht einmal etwas so hinnehmen, wie es ist?«
»Du beantwortest meine Fragen mit Gegenfragen«, sagte der Ritter. »Du hast schon zu viel Zeit mit Merlin verbracht.«
»Und du hast noch nicht genug Zeit mit ihm verbracht!« Das Eichhörnchen schlug kurz mit dem Schwanz und lief dann an einem Baum hinauf.
Der Ritter rief ihm nach. »Warte mal! Wie heißt du denn?«
»Hörnchen«, antwortete das Eichhörnchen kurz und bündig, und schon war es in den oberen Ästen ver-

schwunden. Benommen schüttelte der Ritter den Kopf. Hatte er das alles geträumt? In diesem Moment sah er Merlin auf sich zukommen.
»Merlin«, sagte er. »Ich muß unbedingt hier weg. Ich fange schon an, mit Eichhörnchen zu sprechen.«
»Ausgezeichnet!«
Der Ritter wirkte beunruhigt. »Ausgezeichnet? Was meinst du damit?«
»Genau das. Du wirst langsam einfühlsam genug, um anderen zuhören und sie verstehen zu können.«
Offenbar war der Ritter verwirrt, also sprach Merlin weiter. »Ich freue mich schon auf den Tag, an dem du anfangen wirst, mit den Blumen zu sprechen.«
»Das wird der Tag sein, an dem du sie auf mein Grab pflanzt. Ich muß weg aus diesem Wald!« rief der Ritter.
»Wo willst du denn hin?«
»Zurück zu Juliet und Christopher. Sie sind schon zu lange allein. Ich muß wieder zurück und auf sie aufpassen.«
»Wie willst du denn auf sie aufpassen, wenn du noch nicht einmal auf dich selbst aufpassen kannst?« fragte Merlin.
»Aber sie fehlen mir«, jammerte der Ritter. »Ich will um jeden Preis zu ihnen zurück.«
»Und du wirst einen sehr hohen Preis zahlen, wenn du in dieser Rüstung zu ihnen zurückkehrst«, warnte Merlin.
Der Ritter sah Merlin traurig an. »Ich will nicht warten, bis ich diese Rüstung los bin. Ich will sofort

zurückgehen und Juliet ein guter und liebevoller Mann sein und Christopher ein guter Vater.«
Merlin nickte verständnisvoll. Er sagte dem Ritter, daß es ein wunderschönes Geschenk sei, von sich selbst zu geben. »Dennoch, ein Geschenk ist kein Geschenk, wenn es nicht angenommen wird, denn dann steht es wie eine Last zwischen den Menschen.«
»Willst du damit sagen, daß sie mich vielleicht gar nicht zurückhaben wollen?« fragte der Ritter überrascht. »Immerhin bin ich einer der besten Ritter im Königreich.«
»Vielleicht ist diese Rüstung doch dicker, als sie aussieht«, sagte Merlin freundlich.
Der Ritter dachte darüber nach. Ihm fiel ein, wie Juliet sich immer wieder darüber beklagt hatte, daß er so oft in die Schlacht gezogen war, darüber, daß er seine Rüstung mit so viel Aufmerksamkeit überschüttet hatte, und auch über sein heruntergeklapptes Visier und seine Angewohnheit, plötzlich einzuschlafen, damit er ihr nicht zuhören mußte. Vielleicht würde Juliet ihn tatsächlich nicht zurückhaben wollen, aber Christopher doch bestimmt.
»Warum schickst du Christopher nicht einfach eine Nachricht und fragst ihn?« schlug Merlin vor.
Der Ritter fand, daß das eine gute Idee sei, aber wie konnte er Christopher die Nachricht zukommen lassen? Merlin zeigte auf die Taube, die auf seiner Schulter saß. »Rebecca wird sie ihm bringen.«
Der Ritter war verblüfft. »Sie weiß doch gar nicht, wo ich wohne. Sie ist nur ein dummer Vogel.«

»Wenigstens kann ich Nord und Süd, Ost und West auseinanderhalten«, fuhr Rebecca ihn an, »was man von dir nicht behaupten kann.«
Hastig entschuldigte sich der Ritter. Er war zutiefst erschüttert. Er hatte nicht nur mit einer Taube, sondern auch mit einem Eichhörnchen gesprochen, und er hatte es geschafft, sie beide an einem einzigen Tag zu verärgern.
Aber Rebecca war ein versöhnlicher Vogel. Sie nahm die Entschuldigung des Ritters an und flog mit seinem eilig geschriebenen Briefchen im Schnabel davon.
»Gurre bitte keine fremden Täuberiche an, sonst läßt du noch meinen Brief fallen«, rief der Ritter ihr nach.
Rebecca überhörte diese unverschämte Bemerkung, denn sie wußte, daß der Ritter noch eine Menge zu lernen hatte.
Eine Woche war vergangen, und Rebecca war noch immer nicht zurückgekehrt.
Der Ritter machte sich große Sorgen, denn er fürchtete, Rebecca könnte einem der Jagdfalken zum Opfer gefallen sein, die er und die anderen Ritter abgerichtet hatten. Er zuckte zusammen und zweifelte an sich selbst, weil er dieses zweifelhafte Vergnügen einmal vergnüglich gefunden hatte. Und sein schreckliches Wortspiel ließ ihn gleich noch einmal zusammenzucken.
Nachdem Merlin das Lied »Hast du ein eisig kaltes

Herz, erwartet dich ein eisig kalter Winter« zu Ende gespielt und gesungen hatte, sprach der Ritter seine Befürchtungen wegen Rebecca offen aus.

Merlin wollte gerade antworten, da erhob sich unter den Tieren ein großer Tumult. Sie schauten alle gen Himmel, und so sahen auch Merlin und der Ritter hinauf. Hoch oben zog ein Vogel seine Kreise. Es war Rebecca.

Der Ritter rappelte sich auf, gerade als Rebecca auf Merlins Schulter landete. Der Zauberer nahm ihr das Briefchen aus dem Schnabel und warf einen kurzen Blick darauf. Dann sagte er dem Ritter mit ernster Stimme, daß der Brief von Christopher sei.

»Laß mal sehen!« sagte der Ritter und griff ungeduldig nach dem Papier. »Da steht ja gar nichts drauf!« rief er aus. »Was hat das zu bedeuten?«

»Das bedeutet«, sagte Merlin leise, »daß dein Sohn dich nicht gut genug kennt, um dir eine Antwort zu geben.«

Fassungslos stand der Ritter einen Augenblick lang da und sank dann langsam zu Boden. Er versuchte, die Tränen zu unterdrücken, denn ein Ritter in glänzender Rüstung weint nun einmal nicht. Dennoch wurde er bald von seinem Kummer überwältigt. Schließlich, nachdem er wegen der Tränen in seinem Helm beinahe ertrunken wäre, schlief der Ritter ein.

III. Der Pfad der Wahrheit

Als der Ritter aufwachte, saß Merlin still neben ihm.
»Es tut mir leid, daß ich mich so unritterlich benommen habe«, sagte der Ritter. »Mein Bart ist ganz durchnäßt«, fügte er angewidert hinzu.
»Du brauchst dich nicht zu entschuldigen«, sagte Merlin. »Du bist auf dem besten Weg, dich aus deiner Rüstung zu befreien. Der erste Schritt ist schon getan.«
»Was meinst du damit?«
»Du wirst schon sehen«, antwortete der Zauberer und stand auf. »Es ist Zeit für dich zu gehen.«
Das beunruhigte den Ritter. Inzwischen war er sehr gern bei Merlin und den Tieren im Wald. Außerdem wußte er gar nicht, wohin. Juliet und Christopher wollten anscheinend nicht, daß er nach Hause kam. Sicher, er konnte wieder im Rittergewerbe tätig werden und an ein paar Kreuzzügen teilnehmen. Er genoß einen guten Ruf als Kämpfer, und viele Könige hätten ihn gerne in ihren Dienst gestellt, aber kämpfen schien ihm inzwischen kein lohnendes Ziel mehr zu sein. Merlin erinnerte ihn daran, daß er nun ein neues Ziel hatte: seine Rüstung loszuwerden.
»Wozu denn noch?« fragte der Ritter mißmutig.
»Juliet und Christopher ist es doch offenbar egal, ob

ich meine Rüstung loswerde oder nicht.«
»Tu es für dich«, schlug Merlin vor. »In dieser Eisenhülle gefangen zu sein, hat dir eine Menge Schwierigkeiten eingebracht, und die Dinge werden nicht besser, je länger du wartest. Du könntest sogar sterben, weil du dir mit deinem durchnäßten Bart eine Lungenentzündung holst, oder so etwas in der Art.«
»Stimmt schon, diese Rüstung ist mir zur Plage geworden«, antwortete der Ritter. »Ich bin es leid, sie mit mir herumzuschleppen, und ich habe die Nase voll von breiigem Essen. Ich kann mir ja noch nicht einmal den Rücken kratzen, wenn er juckt.«
»Und wann hast du zuletzt die Wärme eines Kusses gespürt, den Duft einer Blume gerochen oder eine schöne Melodie gehört, ohne, daß dir deine Rüstung dabei im Weg war?«
»Ich kann mich kaum noch erinnern«, murmelte der Ritter traurig. »Du hast recht, Merlin. Ich muß diese Rüstung um meiner selbst willen loswerden.«
»Du kannst nicht weiterhin leben und denken, wie du es in der Vergangenheit getan hast«, sagte Merlin. »Denn so bist du ja überhaupt erst in deine Eisenfalle geraten.«
»Aber wie soll ich denn an alledem jemals etwas ändern?« fragte der Ritter beklommen.
»Es ist nicht so schwierig, wie es scheint.« Merlin führte den Ritter zu einem Pfad. »Dies ist der Pfad, dem du gefolgt bist, um in den Wald zu kommen.«
»Ich bin überhaupt keinem Pfad gefolgt«, sagte der Ritter. »Ich bin monatelang umhergeirrt.«

»Manchmal merken die Menschen gar nicht, daß sie sich auf einem Pfad befinden.«
»Du meinst, dieser Pfad war hier, und ich habe ihn nur nicht gesehen?«
»Ja, und du kannst auf diesem Weg auch wieder zurückgehen, wenn du willst, aber er führt zu Unehrlichkeit, Gier, Eifersucht, Furcht, Verblendung und Haß.«
»Willst du damit sagen, daß all dies in mir ist?« fragte der Ritter empört.
»Manchmal mehr und manchmal weniger«, gab Merlin zu.
Dann wies der Zauberer auf einen zweiten Pfad. Er war schmaler als der erste und sehr steil.
»Sieht nach einer anstrengenden Kletterpartie aus«, bemerkte der Ritter.
Merlin nickte. »Das«, sagte er, »ist der Pfad der Wahrheit. Er wird steiler, je näher er dem Gipfel des Berges in der Ferne kommt.«
Der Ritter sah den steilen Weg hinauf. Er war nicht sonderlich begeistert. »Ich bin nicht sicher, ob es das wert ist. Was habe ich davon, wenn ich oben bin?«
»Wichtig ist, was du nicht mehr haben wirst«, erklärte Merlin, »nämlich deine Rüstung!« Der Ritter dachte darüber nach. Wenn er auf demselben Weg zurückkehrte, auf dem er gekommen war, würde er die Rüstung niemals loswerden, und er würde wahrscheinlich an Einsamkeit und Erschöpfung sterben. Wie es schien, blieb ihm keine andere Wahl; er mußte dem Pfad der Wahrheit folgen, aber dann

konnte es sein, daß er bei dem Versuch umkam, den steilen Berg zu erklimmen.
Wieder sah der Ritter den schwierigen Pfad hinauf, und dann sah er hinunter auf das Eisen, das ihn umhüllte.
»Also gut«, sagte er dann. »Ich werde versuchen, dem Pfad der Wahrheit zu folgen.«
Merlin nickte. »Deine Entscheidung, mit dieser schweren Rüstung einem unbekannten Weg zu folgen, erfordert großen Mut.«
Der Ritter wußte, daß es besser war, wenn er sofort loszog, damit er es sich nicht schließlich doch noch anders überlegte.
»Dann will ich mal mein getreues Roß holen«, sagte er.
»Oh nein.« Merlin schüttelte den Kopf. »Der Pfad ist an manchen Stellen zu schmal für ein Pferd. Du mußt schon zu Fuß gehen. «Entgeistert ließ der Ritter sich auf einen Stein fallen.

Sein Mut schwand rasch dahin. »Ich glaube, ich sterbe lieber an einem durchnäßten Bart.«
»Du mußt nicht alleine reisen. Hörnchen wird dich begleiten.«
»Was soll ich denn mit einem Eichhörnchen anfangen? Reiten kann ich ja wohl kaum auf ihm!« Die Vorstellung, die mühsame Reise mit einem neunmalklugen Tier antreten zu müssen, behagte dem Ritter gar nicht.
»Reiten kannst du vielleicht nicht auf mir«, sagte Hörnchen. »Aber du brauchst mich, damit ich dir beim Essen helfe. Wer soll dir sonst die Nüsse vorkauen und durchs Visier stecken?«
Rebecca flog von einem nahen Baum herbei, wo sie das Gespräch mit angehört hatte. »Ich komme auch mit. Ich war schon oben auf dem Berg und kenne den Weg.«
Die Hilfsbereitschaft der beiden Tiere gab dem Ritter den Mut, den er brauchte.
Na wunderbar, dachte der Ritter, einer der besten Ritter im ganzen Königreich hat es nötig, sich von einem Eichhörnchen und einem Vogel ermutigen zu lassen!
Er rappelte sich auf und gab Merlin ein Zeichen, daß er bereit sei aufzubrechen.
Während sie auf den Pfad zugingen, nahm Merlin einen kunstvoll gearbeiteten goldenen Schlüssel vom Hals und gab ihn dem Ritter. »Dieser Schlüssel wird dir die Türen zu drei Burgen öffnen, die dir den Weg versperren werden.»

»Ich weiß schon!« rief der Ritter eifrig. »In jeder Burg sitzt eine Prinzessin, und ich töte den Drachen, der sie bewacht, und befreie ...«

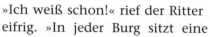

»Genug!« unterbrach ihn Merlin. »In keiner der Burgen wird eine Prinzessin sitzen, und du bist im Moment nicht in der Verfassung, irgend jemanden zu befreien. Jetzt mußt du erst einmal lernen, dich selbst zu retten.«

Der Ritter nahm den Tadel widerspruchslos hin, und Merlin fuhr fort. »Die erste Burg wird Schweigen genannt; die zweite Erkenntnis und die dritte Wille und Wagemut. Hast du sie einmal betreten, wirst du erst wieder hinausfinden, wenn du gelernt hast, was es dort zu lernen gibt.«

Der Ritter grollte. Er fand, daß sich das nicht besonders lustig anhörte. Prinzessinnen zu retten machte sicher mehr Spaß. Außerdem stand ihm momentan nicht der Sinn nach Schloßbesichtigungen. »Kann ich nicht einfach um die Burgen herumgehen?«

»Wenn du das tust, kommst du vom Weg ab und wirst dich ganz gewiß verirren. Es gibt nur einen Weg zum Gipfel des Berges hinauf, und dieser Weg führt durch die Burgen hindurch«, sagte Merlin in entschiedenem Ton.

Der Ritter seufzte tief und starrte den steilen, schmalen Weg hinauf. Er verschwand zwischen hohen Bäumen, die bis in ein paar tiefhängende Wolken hinaufragten. Er spürte, daß diese Reise viel beschwerlicher werden würde als jeder Kreuzzug.

Merlin wußte, was der Ritter dachte. »Ja«, sagte er. »Auf dem Pfad der Wahrheit wirst du einen ganz anderen Kampf bestehen müssen. In diesem Kampf wird es darum gehen, dich selbst lieben zu lernen.«
»Wie soll ich das anstellen?«
»Zunächst mußt du dich selbst kennenlernen«, antwortete Merlin. »In dieser Schlacht nützt dir dein Schwert nichts. Du kannst es also hier lassen.« Einen Augenblick lang ließ Merlin seinen freundlichen Blick auf dem Ritter ruhen. »Wenn dir irgend etwas begegnet, womit du nicht fertig wirst, ruf mich einfach, und ich werde kommen.«
»Du meinst, du kannst einfach auftauchen, wo immer ich gerade bin?«
»Das kann jeder Zauberer, der etwas auf sich hält«, antwortete Merlin. Dann verschwand er.
Der Ritter war erstaunt. »Na, sowas ... er ist weg.«
Hörnchen nickte. »Manchmal trägt er etwas dick auf.«
»Rede nicht soviel, du wirst deine Kräfte noch brauchen«, schimpfte Rebecca. »Auf geht's!«
Der Helm des Ritters quietschte, als er zustimmend den Kopf schüttelte. Mit Hörnchen an der Spitze, brachen sie auf, dahinter ging der Ritter mit Rebecca auf seiner Schulter. Hin und wieder startete sie zu einem Erkundungsflug, um zu berichten, was vor ihnen lag.
Nach ein paar Stunden brach der Ritter zusammen. Er war erschöpft und die Glieder schmerzten ihn, denn er war es nicht gewohnt, in Rüstung, aber ohne Pferd zu reisen. Da es ohnehin bald dunkel wurde,

beschlossen Rebecca und Hörnchen, daß sie hier übernachten könnten. Rebecca flog von einem Busch zum nächsten und kehrte mit Beeren zurück, die sie dem Ritter durch die Löcher in seinem Visier schob. Hörnchen lief zu einem nahegelegenen Bach und füllte ein paar Walnußschalen mit Wasser, welches der Ritter mit dem Strohhalm trank, den Merlin ihm gegeben hatte. Als nächstes zog Hörnchen los, um Nüsse zu sammeln, doch der Ritter war so erschöpft, daß er eingeschlafen war, bevor es zurückkehrte.
Am nächsten Morgen wurde er von der Sonne geweckt, die ihm in die Augen schien. Er blinzelte. Noch nie hatte so viel Licht durch sein Visier dringen können. Während er noch versuchte, sich diesen Umstand zu erklären, bemerkte er, daß Hörnchen und Rebecca ihn ansahen und dabei aufgeregt schwatzten und gurrten.
Nachdem er sich mühsam aufgesetzt hatte, wurde ihm bewußt, daß er mehr sehen konnte als am Tag zuvor, und er konnte die kühle Luft an seinem Gesicht spüren. Ein Stück seines Visiers war abgebrochen und heruntergefallen. Wie ist das passiert? fragte er sich.
Hörnchen beantwortete die unausgesprochene Frage. »Es ist durchgerostet und abgebröckelt.«
»Aber wie denn?«
»Von den Tränen, die du vergossen hast, nachdem du den leeren Brief deines Sohnes gesehen hast«, sagte Rebecca.
Der Ritter dachte darüber nach. Der Kummer, den er

verspürt hatte, war so tief gewesen, daß seine Rüstung ihn nicht davor hatte schützen können. Ganz im Gegenteil, seine Tränen hatten begonnen, das Eisen zu zerstören, das ihn umgab.
»Das ist es!« rief er. »Tränen, die aus tiefstem Herzen kommen, werden mich von meiner Rüstung befreien!« So schnell wie seit Jahren nicht mehr, kam er auf die Beine. »Hörnchen! Rebecca!« rief er. »Wohlan! Laßt uns wandeln auf dem Pfade der Wahrheit sodann!«
Rebecca und Hörnchen waren sehr glücklich über das, was da gerade mit dem Ritter geschah, und so erwähnten sie mit keinem Wort, daß seine Reimkunst einiges zu wünschen übrig ließ.
Zu dritt stiegen sie weiter den Berg hinauf. Besonders für den Ritter war es ein wunderschöner Tag. Er bemerkte die winzigen Staubkörnchen in den Sonnenstrahlen, die durch die Zweige fielen. Er schaute sich die Gesichter der Rotkehlchen an und stellte fest, daß sie nicht alle gleich aussahen. Er teilte seine Beobachtung Rebecca mit, die daraufhin fröhlich auf und ab hüpfte. »Du stellst allmählich bei anderen Lebewesen Unterschiede fest, weil du begonnen hast, die Unterschiede in dir selbst zu sehen.«
Der Ritter versuchte herauszufinden, was genau Rebecca damit meinte. Er war zu stolz, um sie zu fragen, denn er dachte immer noch, daß ein Ritter klüger sein sollte als eine Taube.
In diesem Augenblick kam Hörnchen zurückgehoppelt, das vorangelaufen war, um den Weg zu erkun-

den. »Die Burg Schweigen liegt direkt hinter der nächsten Steigung.«
Der Ritter konnte es kaum erwarten, die Burg zu sehen und klirrte noch schneller vorwärts. Als er oben auf dem Hügel ankam, war er ganz schön außer Atem. Und tatsächlich, vor ihm ragte eine Burg auf, die den Weg völlig versperrte. Der Ritter gestand Hörnchen und Rebecca, daß er enttäuscht sei. Er hatte ein ganz ausgefallenes Gebäude erwartet, doch die Burg Schweigen sah aus wie ein gewöhnliches Ausflugsschloß.
Rebecca lachte und sagte: »Wenn du erst einmal gelernt hast anzunehmen statt zu erwarten, wirst du nicht mehr so oft enttäuscht werden.«
Das leuchtete dem Ritter ein, und er nickte. »Ich habe den größten Teil meines Lebens damit verbracht, enttäuscht zu sein. Ich weiß noch, wie ich in meiner Krippe lag und glaubte, ich sei das schönste Kind der Welt. Eines Tages sah meine Kinderschwester zu mir herunter und sagte: ›Du hast ein Gesicht, das nur eine Mutter lieben kann.‹ Am Ende war ich enttäuscht von mir, weil ich nicht schön war sondern häßlich, und ich war enttäuscht von der Kinderschwester, weil sie so unhöflich war.«
»Wenn du dich so angenommen hättest, wie du bist, hättest du dich wirklich schön gefunden, und es hätte keine Rolle gespielt, was sie sagt. Du wärst nicht enttäuscht gewesen.«
»Langsam glaube ich, Tiere sind klüger als Menschen.«

»Daß du das einsiehst, zeigt mir, daß du genauso klug bist wie wir«, antwortete Hörnchen.
Doch Rebecca meinte dazu: »Ich glaube nicht, daß das irgend etwas mit Klugheit zu tun hat. Tiere nehmen an, und Menschen erwarten. Du wirst niemals ein Kaninchen sagen hören: ›Ich erwarte, daß die Sonne heute morgen herauskommt, damit ich am See spielen kann.‹ Wenn die Sonne nicht herauskommt, verdirbt das dem Kaninchen nicht den ganzen Tag. Es ist ganz einfach damit zufrieden, ein Kaninchen zu sein.«
Der Ritter ließ sich diese Worte durch den Kopf gehen. Ihm fielen nicht viele Menschen ein, die einfach damit zufrieden waren, Menschen zu sein.
Bald erreichten sie das Burgtor. Der Ritter nahm den goldenen Schlüssel vom Hals und steckte ihn ins Schloß. Als er das Tor öffnete, flüsterte Rebecca ihm zu: »Wir werden nicht mit dir hineingehen.«
Der Ritter, der die beiden Tiere inzwischen lieb gewonnen hatte und ihnen vertraute, war enttäuscht, daß sie ihn nicht begleiten wollten. Beinahe hätte er es ihnen gesagt, doch er hielt sich zurück. Er erwartete schon wieder etwas.
Die Tiere wußten, daß der Ritter zögerte, die Burg allein zu betreten. »Wir durften dich bis zum Tor bringen«, sagte Hörnchen, »aber durchs Schloß hindurchgehen mußt du allein.«
Als Rebecca davonflog, rief sie fröhlich: »Wir warten auf der anderen Seite auf dich.«

IV. Die Burg Schweigen

Nun war der Ritter allein. Vorsichtig streckte er den Kopf durch das Burgtor. Die Knie zitterten ihm ein wenig, so daß seine Rüstung leise klirrte. Er wollte vor dem Eichhörnchen und der Taube nicht wie ein Angsthase dastehen, und so riß er sich zusammen, schritt kühn durch das Tor und schloß es hinter sich.

Einen Moment lang wünschte der Ritter, er hätte sein Schwert nicht zurückgelassen, aber Merlin hatte ihm versprochen, daß er keinen Drachen würde töten müssen, und er vertraute ihm.

Der Ritter betrat den großen Vorraum der Burg und schaute sich um. Er sah einen riesigen Kamin, in dem ein Feuer loderte und drei Teppiche auf dem Boden. Er setzte sich auf den Teppich, der vor dem Kamin lag. Bald fiel dem Ritter auf, daß es keine Tür gab in diesem Raum, und daß die Burg von einer merkwürdigen, unheimlichen Stille erfüllt war. Der Ritter erschrak, als er bemerkte, daß das Feuer noch nicht einmal prasselte. Sein eigenes Schloß war ihm immer still vorgekommen, besonders, wenn Juliet tagelang nicht mit ihm gesprochen hatte, aber das hier war etwas ganz anderes. Schweigen ist ein passender Name für diese Burg, dachte der Ritter. Noch nie in seinem Leben hatte er sich so allein gefühlt.

Plötzlich wurde der Ritter von einer vertrauten Stimme aufgeschreckt.
»Hallo, Ritter.«
Der Ritter drehte sich um und war erstaunt, den König aus einer Ecke des Raums auf sich zukommen zu sehen.
»König!« stieß er hervor. »Ich habe Euch gar nicht gesehen. Was macht Ihr denn hier?«
»Dasselbe wie Ihr, Ritter. Ich suche nach der Tür.«
Der Ritter schaute sich noch einmal um. »Ich sehe keine Tür.«
»Man kann sie nicht sehen, ehe man nicht versteht«, sagte der König. »Wenn Ihr verstanden habt, was es

mit diesem Raum auf sich hat, werdet Ihr die Tür zum nächsten sehen können.«
»Das kann ich nur hoffen, König«, sagte der Ritter. »Ich bin überrascht, Euch hier zu sehen. Man sagte mir, Ihr wäret auf Kreuzzug.«
»Diese Nachricht lasse ich jedesmal verbreiten, wenn ich auf dem Pfad der Wahrheit wandle«, erklärte der König. »Das verstehen meine Untertanen eher.«
Der Ritter sah ihn verwirrt an.
»Jeder hat Verständnis für Kreuzzüge, aber nur sehr wenige haben Verständnis für die Suche nach der Wahrheit.«
»Das stimmt. Ich würde auch nicht auf diesem Pfad wandeln, wäre ich nicht in dieser Rüstung gefangen.«
»Die meisten von uns sind in ihrer Rüstung gefangen.«
»Was meint Ihr damit?«
»Wir errichten Schranken um uns herum, um das zu schützen, wofür wir uns halten. Und eines Tages bleiben wir hinter diesen Schranken stecken und kommen nicht wieder heraus.«
»Aber Ihr steckt doch niemals fest, König. Ihr seid doch so weise.«
Der König lachte reuevoll. »Ich bin weise genug, um zu wissen, wann ich feststecke und um hierher zurückzukehren, damit ich mehr über mich lernen kann.«
Der Ritter hatte neuen Mut gefaßt, denn er dachte, der König könne ihm vielleicht den Weg zeigen. Seine Miene erhellte sich. »Sagt, könnten wir nicht

zusammen durch die Burg gehen? Dann wären wir nicht so einsam.«

Der König schüttelte den Kopf. »Das habe ich schon einmal versucht. Meine Gefährten und ich haben uns zwar nicht so einsam gefühlt, weil wir die ganze Zeit miteinander geredet haben, aber wenn man spricht, ist es unmöglich, die Tür zum nächsten Raum zu finden.«

»Vielleicht könnten wir ja einfach umhergehen und gemeinsam still sein«, schlug der Ritter vor. Er war nicht gerade erpicht darauf, allein durch die Burg zu wandern.

Wieder schüttelte der König den Kopf, diesmal ein wenig heftiger. »Nein, das habe ich auch schon versucht. Es hat die Leere weniger schmerzhaft gemacht, aber die Tür zum nächsten Raum konnte ich trotzdem nicht sehen.«

Der Ritter protestierte. »Aber wenn Ihr doch nicht gesprochen habt ...«

»Schweigen bedeutet mehr als nicht reden«, sagte der König. »Ich habe herausgefunden, daß ich, wenn jemand bei mir war, immer nur versucht habe, mich von meiner besten Seite zu zeigen. Ich war nicht bereit, die Schranken niederzureißen, die ich errichtet hatte, und mich oder den anderen sehen zu lassen, was ich zu verbergen suchte.«

»Das verstehe ich nicht«, sagte der Ritter.

»Ihr werdet es verstehen, wenn Ihr erst lange genug hier gewesen seid. Man muß allein sein, damit man seine Rüstung fallenlassen kann.«

Der Ritter war bestürzt. »Ich will hier aber nicht allein bleiben!« rief er aus, wobei er heftig mit dem Fuß aufstampfte und versehentlich dem König auf den großen Zeh trat.
Der König jaulte auf und hüpfte umher.
Der Ritter war entsetzt! Zuerst der Schmied und nun auch noch der König. »Tut mir leid, Euer Majestät.«
Der König rieb sich zärtlich den Zeh. »Schon gut. Diese Rüstung bereitet Euch mehr Schmerzen als mir.« Als er wieder aufrecht stand, sah er den Ritter mit wissendem Blick an.
»Ich kann sehr gut verstehen, daß Ihr in dieser Burg nicht allein bleiben wollt. Das wollte ich auch nicht, als ich die ersten paar Male hier war, aber inzwischen ist mir klar geworden, daß man das, was man hier tun muß, ganz allein tun muß.« Daraufhin humpelte er quer durch den Raum und fügte hinzu: »Ich muß jetzt gehen.«
Verwundert fragte der Ritter: »Wo wollt Ihr denn hin? Die Tür ist doch hier drüben.«
»Das ist nur der Eingang. Die Tür zum nächsten Raum ist auf der anderen Seite. Als Ihr hereingekommen seid, habe ich sie endlich gesehen.«
»Was heißt das, Ihr habt sie endlich gesehen? Ihr wart doch schon ein paarmal hier. Konntet Ihr Euch denn nicht mehr erinnern, wo sie ist?« Der Ritter fragte sich, warum der König sich die Mühe machte, immer wieder zu kommen.
»Die Reise auf dem Pfad der Wahrheit geht nie zu Ende. Jedesmal, wenn ich herkomme, verstehe ich

ein wenig mehr und finde neue Türen.« Der König winkte dem Ritter. »Seid gut zu Euch selbst, mein Freund.«
»Wartet noch! Bitte!« rief der Ritter.
Der König drehte sich um und sah den Ritter mitfühlend an. »Ja?«
Der Ritter wußte genau, daß er den König nicht von seinem Entschluß abbringen konnte. »Könnt Ihr mir nicht einen Rat geben, bevor Ihr geht?«
Der König dachte einen Augenblick nach und sagte dann: »Dies ist eine neue Art von Kreuzzug, lieber Ritter, einer, der mehr Mut erfordert als alle anderen Schlachten, in denen Ihr bisher gekämpft habt. Es wird Euer größter Sieg sein, wenn Ihr die Kraft aufbringen könnt, zu bleiben und zu tun, was hier zu tun ist.«
Mit diesen Worten wandte der König sich wieder ab, streckte die Hand aus, als wolle er eine Tür öffnen, und verschwand in der Wand.
Zuerst stand der Ritter nur da und starrte dem König ungläubig nach. Dann lief er eilig hinüber zu der Stelle, wo der König verschwunden war, in der Hoffnung, daß er, wenn er nur nahe genug herankam, die Tür auch sehen könnte. Doch was er sah, schien nichts weiter zu sein als eine Wand. So fing der Ritter an, im Zimmer auf und ab zu gehen. Das einzige Geräusch, das er hören konnte, war das Klirren seiner Rüstung, das durch die Burg hallte.
Nach einer Weile fühlte er sich so bedrückt wie nie zuvor in seinem Leben. Um sich selbst aufzuheitern,

sang er ein paar schwungvolle Schlachtlieder: »Beim nächsten Kreuzzug sehen wir uns wieder, Schatz« und »Wo ich meinen Helm hinhäng', bin ich daheim«.
Er sang sie immer wieder von vorn.
Als seine Stimme schwächer wurde, übertönte die Stille allmählich seinen Gesang und hüllte ihn in eine vollkommene, überwältigende Lautlosigkeit. In diesem Moment gestand sich der Ritter etwas ein, was er noch nie zuvor zugegeben hatte: Er hatte Angst, allein zu sein.
Plötzlich sah er am anderen Ende des Raumes eine Tür in der Wand. Er ging hinüber, öffnete sie langsam und trat in einen anderen Raum. Dieser sah aus wie der erste, nur war er kleiner. Und auch hier war kein Laut zu hören.
Um sich die Zeit zu vertreiben, begann der Ritter, laut mit sich selbst zu reden. Er sprach alles aus, was ihm einfiel. Er redete darüber, wie er als kleiner Junge gewesen war. Während die anderen Wachteln jagten und ›Häng dem Keiler den Schwanz an‹ spielten, hatte er drinnen gesessen und gelesen.
Aber Bücher gab es nur wenige, und so hatte er sie bald alle gelesen. Da hatte er begonnen, mit allen Leuten zu sprechen, die vorbeikamen. Wenn niemand da war, mit dem er reden konnte, hatte er mit sich selbst geredet - genau wie jetzt. Zu seiner Überraschung hörte er sich sagen, daß er sein ganzes Leben lang so viel geredet hatte, damit er sich nicht einsam fühlte.

Der Ritter dachte angestrengt darüber nach, bis schließlich der Klang seiner Stimme die eisige Stille durchbrach. »Wahrscheinlich habe ich immer schon Angst gehabt, allein zu sein.«
Als er diese Worte sprach, wurde eine weitere Tür sichtbar. Der Ritter öffnete sie und trat in den nächsten Raum. Er war noch kleiner als der vorherige.
Der Ritter setzte sich auf den Boden und dachte wei-

ter nach. Bald schoß ihm ein neuer Gedanke durch den Kopf: Er hatte sein ganzes Leben lang Zeit damit verschwendet, über Dinge zu reden, die er getan hatte und die er noch tun wollte. Nie hatte er sich an dem erfreut, was gerade geschah. Und wieder erschien eine Tür in der Wand. Sie führte zu einem Raum, der noch viel kleiner war als die anderen.
Daß er so gut vorankam, ermutigte den Ritter, etwas zu tun, was er noch nie zuvor getan hatte. Er setzte sich ruhig hin und hörte der Stille zu. Ihm kam in den Sinn, daß er bisher eigentlich nichts und niemandem richtig zugehört hatte. Das Pfeifen des Windes, das Prasseln des Regens und das Plätschern von Wasser, das die Bäche hinunterfließt, mußte es schon immer gegeben haben, aber er hatte sie eigentlich niemals gehört. Noch hatte er Juliet gehört, wenn sie versucht hatte, ihm zu sagen, wie ihr zumute war - schon gar nicht dann, wenn sie traurig war. Dabei fiel dem Ritter ein, daß er selbst auch traurig war. Sicher hatte das damit zu tun, warum er angefangen hatte, seine Rüstung ständig zu tragen: Sie hatte den Klang von Juliets trauriger Stimme gedämpft. Wenn er sie aussperren wollte, hatte er dazu nichts weiter tun müssen, als sein Visier herunterzuklappen.
Juliet mußte sehr einsam gewesen sein, wenn sie mit einem in Eisen gehüllten Mann sprach - so einsam, wie er jetzt, in diesem grabesähnlichen Raum. Sein eigener Schmerz und seine Einsamkeit stiegen in ihm auf, und bald empfand er auch Juliets Schmerz und

Einsamkeit. Jahrelang hatte er sie gezwungen, in einer Burg Schweigen zu wohnen. Der Ritter brach in Tränen aus.

Er weinte so lange, bis ihm die Tränen durch die Löcher in seinem Visier rannen und den Teppich durchweichten, auf dem er saß. Sie flossen in den Kamin und löschten das Feuer. Das ganze Zimmer wäre überflutet worden, und der Ritter wäre vielleicht ertrunken, wenn er nicht in diesem Augenblick eine weitere Tür entdeckt hätte.

Obwohl er von der Sintflut ganz erschöpft war, watete der Ritter zur Tür, öffnete sie und betrat einen Raum, der nicht größer war als der Stall, in dem er sein Pferd untergebracht hatte.

»Ich frage mich, warum diese Räume immer kleiner werden«, sagte er laut.

Eine Stimme antwortete: »Weil du dir selbst näher kommst.«

Erschrocken sah der Ritter sich um. Er war doch allein - das hatte er jedenfalls geglaubt. Wer hatte also gesprochen?

»Du selbst«, antwortete die Stimme auf seine Gedanken.

Die Stimme schien aus seinem Inneren zu kommen. Konnte das sein?

»Ja, das kann sein. Ich bin das wahre Du.«

»Aber ich bin doch das wahre Ich«, protestierte der Ritter.

»Schau dich doch bloß mal an, wie du da sitzt«, sagte die Stimme leicht angewidert. »Halb verhungert in diesem Schrotthaufen, mit einem rostigen Visier und dann noch mit einem tropfnassen Bart. Wenn du tatsächlich das wahre Du bist, sind wir beide in Schwierigkeiten.«

»Nun hör mal zu«, sagte der Ritter. »In all den Jahren habe ich kein einziges Wort von dir gehört. Und jetzt kommst du plötzlich daher und behauptest, du seist das wahre Ich. Warum hast du denn früher nie etwas gesagt?«

»Mich gibt es schon seit Jahren«, antwortete die Stimme. »Aber bis heute warst du nie still genug, um mich zu hören.«

Der Ritter war skeptisch. »Wenn du das wahre Ich bist, dann sag mir doch bitte, wer bin Ich?«

Die Stimme antwortete freundlich: »Du kannst nicht erwarten, alles auf einmal zu lernen. Leg dich doch einfach hin und schlaf ein bißchen.«

»In Ordnung. Aber bevor ich das tue, möchte ich wissen, wie ich dich nennen soll.«

»Wie du mich nennen sollst?« fragte die Stimme erstaunt »Na, ich bin doch du!«

»Ich kann dich doch nicht Ich nennen. Da komme ich ja ganz durcheinander.«

»Schon gut! Dann nenn mich eben Sam.«

»Wieso Sam?«

»Wieso nicht?« kam die Antwort.

»Du mußt Merlin kennen«, sagte der Ritter, während ihm der Kopf vor Schläfrigkeit schwer wurde. Dann fielen ihm die Augen zu, und ihn überkam ein tiefer, friedlicher Schlaf.

Als der Ritter wieder aufwachte, wußte er zuerst gar nicht, wo er sich befand. Er nahm nur sich selbst wahr. Der Rest der Welt schien verschwunden zu sein. Als er richtig wach wurde, bemerkte er, daß Hörnchen und Rebecca auf seiner Brust saßen. »Wie seid ihr denn hier hereingekommen?« fragte er.
Hörnchen lachte. »Wir sind nicht da drinnen!«
»Du bist hier draußen«, gurrte Rebecca.
Der Ritter öffnete die Augen noch ein wenig weiter und setzte sich auf. Erstaunt sah er sich um. Tatsächlich, er lag hier auf dem Pfad der Wahrheit auf der anderen Seite der Burg Schweigen.
»Wie bin ich denn da herausgekommen?« fragte der Ritter.
Rebecca antwortete: »Auf dem einzig möglichen Weg. Du hast dich nach draußen gedacht.«
»Das letzte, woran ich mich erinnern kann, ist meine Unterhaltung mit ...« Der Ritter hielt inne. Er wollte Hörnchen und Rebecca von Sam erzählen, aber das war nicht leicht zu erklären. Außerdem konnte es sein, daß er sich das Ganze nur eingebildet hatte. Es gab eine Menge, worüber er nachdenken mußte. Der Ritter kratzte sich am Kopf, und es dauerte einen Moment, bis er merkte, daß es tatsächlich seine eigene Haut war, an der er da kratzte.
»Hörnchen! Rebecca!« rief er aus.
»Wir wissen schon«, sagten sie fröhlich. »Du mußt wieder geweint haben in der Burg Schweigen.«
»Das habe ich«, sagte der Ritter, »aber wie kann denn ein ganzer Helm über Nacht verrosten?«

Die Tiere brüllten vor Lachen. Rebecca lag flügelschlagend am Boden und schnappte nach Luft, so daß der Ritter schon dachte, die Taube hätte eine Meise. Er verlangte zu erfahren, was denn so witzig sei.
Hörnchen bekam als erste wieder Luft. »Du warst doch nicht nur über Nacht in der Burg.«
»Wie lange denn sonst?«
»Was würdest du sagen, wenn ich dir erzählen würde, daß ich in der Zeit mit Leichtigkeit fünftausend Nüsse hätte sammeln können.«
»Ich würde sagen, daß du nicht ganz bei Trost bist!«
»Du warst aber wirklich sehr, sehr lange in der Burg«, bestätigte Rebecca.
Ungläubig sperrte der Ritter Mund und Nase auf. Dann rief er mit dröhnender Stimme: »Merlin, ich muß mit dir reden.«
Wie er es versprochen hatte, erschien der Zauberer augenblicklich. Er war nackt, abgesehen von seinem langen Bart, und tropfnaß. Scheinbar hatte der Ritter Merlin aus der Badewanne geholt.
»Entschuldige die Störung«, sagte der Ritter, »aber es handelt sich um einen Notfall! Ich ...«
»Schon gut«, unterbrach ihn Merlin. »Nach uns Zauberern wird oft im unpassendsten Augenblick verlangt.«
Er schüttelte sich das Wasser aus dem Bart. »Um deine Frage zu beantworten - es ist wahr. Du bist tatsächlich sehr lange in der Burg Schweigen geblieben.«

Merlin schaffte es immer wieder, den Ritter zu verblüffen. »Woher hast du denn gewußt, daß ich dich das fragen wollte?«
»Da ich mich selbst kenne, kenne ich auch dich. Jeder von uns ist Teil des anderen.«
Der Ritter dachte einen Augenblick lang nach. »Jetzt verstehe ich langsam. Ich konnte Juliets Schmerz spüren, weil ich ein Teil von ihr bin?«
»Ja«, antwortete Merlin. »Deswegen konntest du um sie genauso weinen wie um dich selbst. Es war das erste Mal, daß du für einen anderen Menschen Tränen vergossen hast.«
Der Ritter erzählte Merlin, daß er stolz auf sich sei. Der Zauberer lächelte nachsichtig. »Man braucht nicht stolz auf sich zu sein, nur weil man ein Mensch ist. Ebensogut könnte Rebecca stolz darauf sein, daß sie fliegen kann. Rebecca wurde mit Flügeln geboren. Du wurdest mit einem Herzen geboren - jetzt fängst du an, es zu benutzen, und dafür ist es ja auch gedacht.«
»Du hast wirklich ein besonderes Talent, einem Wasser in den Wein zu gießen, Merlin«, sagte der Ritter.
»Ich wollte nicht zu streng mit dir sein. Du machst große Fortschritte, sonst wärst du niemals Sam begegnet.«
Der Ritter war erleichtert. »Dann habe ich ihn also wirklich gehört? Ich habe ihn mir nicht nur eingebildet?«
Merlin kicherte. »Nein, Sam ist echt. Er ist sogar ein echteres Du als der, den du all die Jahre Ich genannt

hast. Du bist nicht dabei, den Verstand zu verlieren. Du hast lediglich angefangen, deinem wahren Selbst zuzuhören. Deshalb ist die Zeit so schnell vergangen, ohne daß du es bemerkt hast.«
»Das verstehe ich nicht«, sagte der Ritter.
»Du wirst es verstehen, wenn du die Burg Erkenntnis erreichst.« Daraufhin verschwand Merlin, bevor der Ritter noch weitere Fragen stellen konnte.

V. Die Burg Erkenntnis

Und wieder machten sich der Ritter, Hörnchen und Rebecca auf und setzten ihre Reise auf dem Pfad der Wahrheit fort. An diesem Tag machten sie nur zweimal Rast, einmal zum Essen und einmal, damit der Ritter seinen struppigen Bart und sein langes Haar mit der geschliffenen Kante seines Panzerhandschuhs schneiden konnte. Danach sah der Ritter nicht nur besser aus, er fühlte sich auch wohler und noch befreiter als zuvor. Nachdem er nun den Helm losgeworden war, konnte er ohne Hörnchens Hilfe Nüsse essen. Zwar war er für diese lebenserhaltende Maßnahme sehr dankbar gewesen, doch die vornehme Lebensart sah in seinen Augen wahrhaftig anders aus. Außerdem konnte er sich die Früchte und Wurzeln, an die er sich gewöhnt hatte, nun selbst verabreichen. Nie wieder würde er Taube oder irgendeine andere Sorte Geflügel oder Fleisch essen, denn seine Freunde verspeist man nun einmal nicht zum Abendessen - man lädt sie dazu ein.
Kurz vor Einbruch der Dunkelheit trottete das Trio über eine Bergkuppe hinweg und erblickte in der Ferne die Burg Erkenntnis. Sie war größer als die Burg Schweigen, und das Burgtor war ganz aus Gold. Es war die größte Burg, die der Ritter je gesehen hatte,

noch größer als die, welche der König für sich selbst gebaut hatte.
Der Ritter starrte auf das beeindruckende Gebäude und fragte sich, wer es wohl entworfen hatte.
In diesem Augenblick wurde der Ritter durch Sams Stimme aus seinen Gedanken gerissen: »Die Burg Erkenntnis wurde vom Universum selbst entworfen - der Quelle aller Erkenntnis.«
Der Ritter war gleichzeitig überrascht und erfreut, Sam zu hören.
»Schön, daß du zurück bist«, sagte er.
»Eigentlich bin ich nie weggegangen«, antwortete Sam. »Vergiß nicht, daß ich du bin.«
»Bitte nicht schon wieder dieses Thema. Wie gefalle ich dir mit gestutztem Bart und kurzen Haaren?«
»Du hast ja schon oft Haare lassen müssen, aber jetzt hast du zum ersten Mal dadurch gewonnen.«
Der Ritter lachte. Sams Humor gefiel ihm. Wenn es in der Burg Erkenntnis auch nur annähernd so ruhig zuging wie in der Burg Schweigen, würde er

froh sein, wenn Sam ihm Gesellschaft leistete. Der Ritter, Hörnchen und Rebecca überquerten die herabgelassene Zugbrücke und blieben vor dem goldenen Tor stehen. Der Ritter nahm den Schlüssel vom Hals, steckte ihn ins Schloß und drehte ihn um. Während er das Tor aufschob, fragte er Rebecca und Hörnchen, ob sie ihn auch diesmal wieder allein lassen würden.

»Nein«, antwortete Rebecca. »Schweigen ist für einen allein, Erkenntnis ist für alle.«

Der Ritter fragte sich, warum man von jemandem, der den Verstand verloren hatte, behauptete, er habe einen Vogel.

Die drei gingen durch das Tor hindurch in eine Dunkelheit hinein, die so tief war, daß der Ritter die Hand nicht vor Augen sehen konnte. Er tastete nach den Fackeln, die für gewöhnlich neben dem Burgtor angebracht waren, doch er fand keine. Eine Burg mit einem goldenen Tor und keine Fackeln? »Selbst in den billigsten Ausflugsschlössern gibt es Fackeln«, brummelte der Ritter vor sich hin, als Hörnchen nach ihm rief. Der Ritter tastete sich zu ihr vor und sah, daß sie auf eine Inschrift zeigte, die an der Wand leuchtete.

Die Erkenntnis ist das Licht,
das dir den Weg weisen wird.

Ich hätte lieber eine Fackel, dachte der Ritter, aber wer immer hier den Haushalt führt, weiß, wie man Stromkosten spart.
Sam meldete sich zu Wort. »Es bedeutet, je mehr du erkennst, um so heller wird es hier drinnen.«
»Sam, ich wette, du hast recht!« rief der Ritter aus. Und ein Lichtschimmer drang in den Raum.
Im selben Moment rief Hörnchen wieder nach dem Ritter. Es hatte an der Wand eine zweite Inschrift gefunden:
> Liebst du die, die dich lieben,
> oder brauchst du sie?

Der Ritter, der ziemlich durcheinander war, murmelte: »Ich nehme an, ich muß die Antwort auf diese Frage finden, damit ich mehr Licht bekomme.«
»Du begreifst schnell«, antwortete Sam, woraufhin der Ritter schnaubte: »Ich habe keine Zeit, Frage und Antwort zu spielen. Ich will möglichst schnell diese Burg durchqueren, damit ich bald zum Gipfel des Berges komme!«
»Vielleicht sollst du ja hier lernen, daß du alle Zeit der Welt hast«, deutete Rebecca an.
Der Ritter war gerade überhaupt nicht zugänglich für Rebeccas Gedanken. Für einen Augenblick fühlte er sich versucht, in die Dunkelheit der Burg einzutauchen und hindurchzutappen. Doch die schwarze Finsternis wirkte sehr bedrohlich, und er fürchtete sich ohne sein Schwert. Wie es aussah, blieb ihm keine andere Wahl: Er mußte herausfinden, was die

Inschrift bedeutete. Der Ritter seufzte, setzte sich auf den Boden und las noch einmal: Liebst du die, die dich lieben, oder brauchst du sie?

Der Ritter wußte, daß er Juliet und Christopher liebte, doch er mußte sich eingestehen, daß er Juliet noch mehr geliebt hatte, ehe sie angefangen hatte, sich unter Weinfässer zu legen und sich deren Inhalt in den Mund fließen zu lassen.

»Stimmt«, sagte Sam, »du hast Juliet und Christopher geliebt, aber hast du sie nicht auch gebraucht?«

»Ich denke schon«, gab der Ritter zu. Er hatte Juliet gebraucht, weil sie seinem Leben mit ihrem scharfen Witz und ihren wunderbaren Gedichten mehr Schönheit verliehen hatte. Er hatte sie auch gebraucht wegen der vielen netten Dinge, die sie für ihn getan hatte. So hatte sie zum Beispiel ein paarmal Freunde eingeladen, damit sie ihn aufheiterten, nachdem er festgestellt hatte, daß er in seiner Rüstung feststeckte.

Er erinnerte sich an die Zeiten, in denen das Rittergewerbe nicht so gut gelaufen war, und sie es sich nicht hatten leisten können, neue Kleider zu kaufen oder Dienstmädchen einzustellen. Juliet hatte für die Familie schicke Gewänder genäht, und sie hatte den Ritter und seine Freunde köstlich bekocht. Dem Ritter fiel ein, daß Juliet auch die Schlösser sehr sauber hielt, die er ihr geschenkt hatte, und das waren nicht gerade wenige. Oft hatten sie in ein billigeres umziehen müssen, wenn er wieder einmal mittellos von einem Kreuzzug heimgekehrt war.

Dann war er losgezogen und zu irgendwelchen Turnieren geritten, während Juliet allein zu Hause blieb und fast den ganzen Umzug allein bewältigen mußte. Er erinnerte sich, wie müde sie ausgesehen hatte, wenn sie von einem Schloß ins nächste gezogen waren, und wie traurig sie geworden war, als sie wegen seiner Rüstung nicht mehr zu ihm hatte durchdringen können.

»Hat Juliet nicht da überhaupt erst angefangen, sich unter Weinfässer zu legen?« frage Sam.

Der Ritter nickte, und Tränen traten ihm in die Augen. Dann kam ihm ein furchtbarer Gedanke: Er hatte nie Schuld auf sich nehmen wollen. Lieber hatte er alles auf Juliet geschoben und auf ihre Weintrinkerei. Er hatte Juliets Trinkerei sogar gebraucht, damit er sie für alles verantwortlich machen konnte - auch dafür, daß er in seiner Rüstung feststeckte.

Als dem Ritter bewußt wurde, auf welch gemeine Weise er Juliet benutzt hatte, liefen ihm die Tränen über die Wangen. Ja, er hatte Juliet mehr gebraucht als geliebt. Er wünschte sich, daß er sie mehr lieben und weniger brauchen könnte, aber er wußte nicht, wie er das anstellen sollte.

Während er weinte, fiel ihm ein, daß er auch Christopher mehr gebraucht als geliebt hatte.

Ein Ritter brauchte einen Sohn, der im Namen seines Vaters in die Schlacht zog, wenn der Vater alt wurde. Das bedeutete nicht, daß der Ritter Christopher nicht lieb hatte, denn er liebte den strubbeligen Blondschopf seines Sohnes.

Er hörte es außerdem gern, wenn Christopher zu ihm sagte: »Ich habe dich lieb, Papa«, doch obwohl er Christopher wegen dieser Dinge liebte, hatten sie gleichzeitig eine Sehnsucht in ihm gestillt.
Ein weiterer Gedanke traf ihn wie ein Blitz:
Er hatte die Liebe von Juliet und Christopher gebraucht, weil er sich selbst nicht liebte!
Er hatte sogar die Liebe der Burgfräulein gebraucht, die er befreit hatte, und auch die Liebe all jener Leute, für die er auf Kreuzzügen gekämpft hatte, weil er sich selbst nicht liebte.
Der Ritter weinte heftiger, als ihm klar wurde, daß er, wenn er sich selbst nicht liebte, auch andere nicht aufrichtig lieben konnte. Daß er sie brauchte, hielt ihn davon ab, sie zu lieben.
Als er sich das eingestanden hatte, trat ein wunderschönes helles Licht an die Stelle der Finsternis, die den Ritter gerade noch umgeben hatte. Eine Hand berührte sanft seine Schulter. Er blickte auf und sah Merlin durch seine Tränen, der freundlich zu ihm herab lächelte.
»Du hast eine große Wahrheit entdeckt«, sagte der Zauberer. »Du kannst andere nicht in stärkerem Maße lieben, als du dich selbst liebst.«
»Und wie soll ich es anfangen, mich selbst zu lieben?«
»Du hast schon angefangen, indem du erkannt hast«, sagte Merlin.
»Ich habe erkannt, daß ich ein Dummkopf bin«, schluchzte der Ritter.

»Nein, du hast die Wahrheit erkannt, und Wahrheit ist Liebe.«
Das tröstete den Ritter, und er hörte auf zu weinen. Als er sich die Augen trocknete, fiel ihm das Licht auf, von dem er umgeben war. Ein solches Licht hatte er noch nie gesehen. Es schien von nirgendwoher zu kommen, und gleichzeitig von überallher.
Merlin sprach den Gedanken des Ritters aus. »Es gibt kein schöneres Licht als das Licht der Selbsterkenntnis.«
Der Ritter betrachtete das Licht um sich herum und sah dann in die Finsternis, die vor ihm lag. »Für dich ist diese Burg nicht dunkel, oder?«
»Nein«, antwortete Merlin. »Inzwischen nicht mehr.«
Nun hatte der Ritter neuen Mut gefaßt und stand auf, um weiterzugehen. Er dankte Merlin dafür, daß er gekommen war, obwohl er ihn noch nicht einmal gerufen hatte.
»Keine Ursache«, sagte der Zauberer. »Manchmal wissen wir nicht, daß wir Hilfe brauchen und bekommen sie trotzdem.« Damit verschwand er.
Als der Ritter weitergehen wollte, kam Rebecca aus der Dunkelheit auf ihn zugeflogen.
»Komm mit!« rief sie in heller Aufregung. »Ich muß dir etwas zeigen!«
Der Ritter hatte Rebecca noch nie so aufgewühlt erlebt. Für gewöhnlich wirkte sie eher gelassen, doch jetzt hüpfte sie auf seiner Schulter auf und ab und konnte kaum an sich halten, während sie den Ritter und Hörnchen zu einem großen Spiegel führte.

»Hier ist er! Hier ist er!« Rebeccas Augen strahlten vor Begeisterung.
Der Ritter war enttäuscht. »Das ist doch bloß ein schäbiger alter Spiegel«, sagte er ungeduldig. »Kommt schon, ich will weitergehen.«
Rebecca blieb hartnäckig. »Das ist kein gewöhnlicher Spiegel. Er zeigt dir nicht, wie du aussiehst, sondern wie du wirklich bist.«
Nun war der Ritter zwar neugierig geworden, aber begeistert war er immer noch nicht. Er hatte Spiegel stets gemieden, denn er hielt nicht viel von seinem Äußeren. Doch Rebecca ließ nicht locker, und so stellte sich der Ritter widerwillig vor den Spiegel und schaute hinein. Zu seiner Verblüffung sah er keinen großen Mann mit traurigen Augen und einer riesigen Nase, der bis zum Hals in einer Rüstung steckte, sondern einen Menschen, dessen Augen vor Mitgefühl und Liebe glänzten.
»Wer ist das?« fragte der Ritter.
Hörnchen antwortete: »Das bist du.«
»Das ist kein richtiger Spiegel. So sehe ich nicht aus.«
»Du siehst dein wahres Ich«, erklärte Sam. »Das Ich, das unter deiner Rüstung versteckt ist.«
Der Ritter sah näher hin. »Aber dieser Mann ist vollkommen. Und sein Gesicht ist voll Schönheit und Klugheit.«
»Das ist alles in dir«, antwortete Sam. »Schön zu sein und unschuldig und vollkommen.«
»Wenn das in mir ist, muß auf meinem Weg etwas Furchtbares passiert sein.«

»Das ist es auch. Du hast eine unsichtbare Rüstung angelegt, die dich von deinen wahren Gefühlen abgrenzen sollte. Und diese Rüstung ist dann sichtbar und dauerhaft geworden.«
»Vielleicht habe ich tatsächlich meine Gefühle versteckt«, sagte der Ritter. »Aber ich konnte doch nicht einfach alles sagen, was mir in den Sinn kam, und alles tun, wozu ich Lust hatte. Dann hätte mich doch niemand leiden können.«
Der Ritter hielt inne. Ihm war bewußt geworden, daß er es sein ganzes Leben lang darauf angelegt hatte, daß andere Leute ihn mochten. Er dachte an all die Kreuzzüge, an denen er teilgenommen, an all die Drachen, die er getötet, und an all die Burgfräulein, die er gerettet hatte - und alles nur, um zu beweisen, daß er gut, freundlich und liebevoll war. In Wahrheit brauchte er überhaupt nichts zu beweisen. Er war ja gut, freundlich und liebevoll.
»Beim springenden Speer!« rief er aus. »Ich habe mein ganzes Leben verschwendet!«
»Nein«, widersprach Sam rasch. »Du hast es nicht verschwendet. Du hast einfach Zeit gebraucht, um zu lernen, was du gerade gelernt hast.«
»Trotzdem könnte ich weinen.«
»Also, das wäre dann wirklich verschwendete Zeit«, antwortete Sam und reimte:

>»Selbstmitleid bringt Eisen nicht zum rosten,
>drum laß es dich keine Träne kosten.«

Der Ritter war nicht in der Stimmung für Sams Humor. »Laß mich mit deinen langweiligen Reimen in Ruhe, sonst schmeiße ich dich raus«, brüllte er.
»Du kannst mich gar nicht rausschmeißen«, gackerte Sam. »Ich bin du, weißt du nicht mehr?«
In diesem Moment hätte sich der Ritter am liebsten erschossen, um Sam loszuwerden, doch glücklicherweise war die Pistole noch nicht erfunden. Scheinbar gab es für ihn keine Möglichkeit, sich Sam vom Hals zu schaffen.
Der Ritter sah noch einmal in den Spiegel. Mitgefühl, Liebe, Freundlichkeit, Klugheit und Selbstlosigkeit sahen ihm daraus entgegen. Ihm wurde klar, daß er, wenn er über diese Eigenschaften verfügen wollte, sie sich nur zurückzuholen brauchte, denn schließlich waren sie ihm immer schon eigen gewesen. Als er dies dachte, erstrahlte wieder das wunderschöne Licht. Es erleuchtete den ganzen Raum und offenbarte, zur Überraschung des Ritters, daß diese Burg nur einen einzigen, riesigen Raum hatte.
»Das entspricht den Bauvorschriften für eine Burg Erkenntnis«, erklärte Sam. »Wahre Erkenntnis läßt sich nicht in Abschnitte unterteilen, denn sie entstammt einer einzigen Wahrheit.«
Der Ritter nickte zustimmend. Er wollte gerade gehen, als Hörnchen auf ihn zugelaufen kam. »Diese Burg hat einen Hof, und da steht ein großer Apfelbaum in der Mitte.«
»Oh, bring mich bitte hin«, sagte der Ritter eifrig, denn er hatte großen Hunger. Der Ritter und Rebecca

folgten Hörnchen in den Burghof. Die stämmigen Äste des großen Baumes beugten sich unter dem Gewicht der rötesten, glänzendsten Äpfel, die der Ritter jemals gesehen hatte.
»Das sind vielleicht ein paar Früchtchen, was?« witzelte Sam.
Der Ritter kicherte. Auf einer Steintafel neben dem Baum fand er eine Inschrift:

> Ich biet' dir gern meine Früchte
> und erwart' keinen Lohn.
> Um den Ehrgeiz
> geht's dann in der nächsten Lektion.

Der Ritter grübelte über diese Worte nach, aber, ganz ehrlich, er verstand nicht, was sie bedeuteten. Schließlich beschloß er, sie zu vergessen.
»Wenn du das tust, kommen wir nie wieder hier raus«, sagte Sam.
Der Ritter stöhnte. »Diese Inschriften werden immer kniffliger.«
»Niemand hat behauptet, die Burg Erkenntnis wäre ein Kinderspiel«, sagte Sam energisch.
Der Ritter seufzte, pflückte sich einen Apfel und setzte sich dann mit Rebecca und Hörnchen unter den Baum.
»Versteht ihr das?« fragte er sie.
Hörnchen schüttelte den Kopf.
Der Ritter sah Rebecca an, die ebenfalls den Kopf schüttelte. »Aber eins weiß ich«, sagte sie nachdenk-

lich, »nämlich, daß ich gar keinen Ehrgeiz habe.«
»Ich auch nicht«, schaltete sich Hörnchen ein. »Und dieser Baum hat bestimmt auch keinen.«
»Da ist was dran«, sagte Rebecca. »Dieser Baum ist wie wir. Er hat keinen Ehrgeiz. Vielleicht braucht man keinen.«
»Das mag ja für Bäume und Tiere gelten«, sagte der Ritter. »Aber was wäre ein Mensch ohne Ehrgeiz?«
»Glücklich«, meldete sich Sam.
»Das glaube ich nicht.«
»Ihr habt alle recht«, sagte eine vertraute Stimme.
Der Ritter drehte sich um und sah Merlin hinter sich und den Tieren stehen. Der Zauberer war in ein langes, weißes Gewand gekleidet und trug seine Laute bei sich.
»Ich wollte dich gerade rufen«, sagte der Ritter.
»Ich weiß«, antwortete der Zauberer. »Jeder braucht Hilfe, um einen Baum zu verstehen. Bäume geben sich damit zufrieden, Bäume zu sein - so, wie auch Rebecca und Hörnchen sich damit zufrieden geben, das zu sein, was sie sind.«
»Aber Menschen sind anders«, wandte der Ritter ein. »Sie haben Verstand.«
»Wir haben auch Verstand!« Hörnchen war ein wenig beleidigt.
»Entschuldige. Es ist nur so, daß Menschen einen sehr schwierigen Verstand haben, der sie dazu bringt, besser sein zu wollen«, erklärte der Ritter.
»Besser als was?« fragte Merlin und zupfte wahllos an den Saiten seiner Laute herum.

»Besser, als sie sind«, antwortete der Ritter.
»Wenn sie zur Welt kommen, sind sie schön, unschuldig und vollkommen? Was könnte besser sein?«
»Nein, ich meine, sie wollen besser sein, als sie glauben, daß sie sind, und sie wollen besser sein, als andere sind. Du weißt schon, so wie ich immer der beste Ritter im ganzen Königreich sein wollte.«

»Aha«, sagte Merlin. »Also hat dir dein schwieriger Verstand den Ehrgeiz gegeben, besser sein zu wollen als andere Ritter.«
»Was ist denn schon dabei?« verteidigte sich der Ritter ein wenig hilflos.
»Wie kannst du besser sein als andere Ritter, die alle ebenso schön, unschuldig und vollkommen zur Welt gekommen sind wie du?«
»Ich war damit zufrieden, es zu versuchen«, antwortete der Ritter.
»Tatsächlich? Oder warst du so sehr mit Werden beschäftigt, daß es dir nicht möglich war, dich einfach am Sein zu erfreuen?«
»Du bringst mich ganz durcheinander«, murmelte der Ritter. »Ich weiß, daß Menschen Ehrgeiz brauchen. Sie wollen sich schick anziehen und sich schöne Schlösser kaufen, und sie wollen jedes Jahr ihr altes Pferd gegen ein neues eintauschen. Sie wollen vorwärtskommen.«
»Jetzt sprichst du vom Wunsch des Menschen, reich zu sein. Doch wenn jemand freundlich, liebevoll, mitfühlend, klug und selbstlos ist, wie könnte dieser Mensch reicher sein und werden?«
»Für diese Reichtümer kann man sich keine Schlösser und Pferde kaufen«, erwiderte der Ritter und kratzte sich am Kopf.

»Das ist richtig. Es gibt mehr als eine Art von Reichtum. Genauso, wie es auch mehr als eine Art von Ehrgeiz gibt.«
»Ich weiß nicht. Ehrgeiz ist Ehrgeiz. Entweder, man will vorwärtskommen, oder man will es nicht.«
»Da steckt noch mehr dahinter«, erwiderte der Zauberer. »Der Ehrgeiz, der vom Verstand kommt, kann dich reich machen und dir neue Schlösser bescheren und neue Pferde. Doch nur der Ehrgeiz, der von Herzen kommt, kann dich auch glücklich machen.«
»Was ist denn das, der Ehrgeiz, der von Herzen kommt?«
»Das ist die reine Art von Ehrgeiz. Er will sich mit niemandem messen und schadet auch niemandem. Er nutzt einem sogar dadurch, daß er gleichzeitig auch anderen nutzt.«
»Wie denn?« Der Ritter gab sich große Mühe, das alles zu verstehen.
»Was das angeht, können wir von diesem Apfelbaum einiges lernen. Er ist schön und voll ausgewachsen und trägt wunderbare Früchte, von denen er allen reichlich gibt. Je mehr Äpfel die Menschen pflücken, um so größer und schöner wird dieser Baum. Dieser Baum tut genau das, wozu Apfelbäume bestimmt sind: Sie geben ihr Bestes für das Wohl aller. So ist es auch mit Menschen, deren Ehrgeiz von Herzen kommt.«
»Aber«, wandte der Ritter ein, »wenn ich den ganzen Tag herumsitzen und Äpfel verschenken würde, könnte ich kein schickes Schloß besitzen, und es

wäre mir auch nicht möglich, mein Pferd vom letzten Jahr gegen ein neues einzutauschen.«
»Wie die meisten Menschen, möchtest auch du viele schöne Dinge besitzen, aber du mußt lernen, Bedürfnis von Gier zu trennen.«
»Erzähl das mal einer Ehefrau, die in einer besseren Burg wohnen will«, gab der Ritter zurück.
Über Merlins Gesicht huschte die Andeutung eines Lächelns. »Du könntest ja ein paar von deinen Äpfeln verkaufen und von dem Geld dein neues Schloß und dein Pferd bezahlen. Dann könntest du die Äpfel verschenken, die übrig sind, und damit andere ernähren.«
»Bäume haben es in dieser Welt leichter als Menschen«, philosophierte der Ritter.
»Das kommt darauf an, wie du die Dinge siehst. Dir wird dieselbe Lebenskraft zuteil wie diesem Baum. Du benutzt dasselbe Wasser, dieselbe Luft und dieselbe Nahrung aus der Erde. Ich versichere dir, wenn du von dem Baum lernst, kannst auch du die Früchte bringen, die zu bringen dir von der Natur bestimmt sind - und schon bald wird es dir an Pferden und Schlössern nicht mehr mangeln.«
»Willst du damit sagen, ich brauche mich nur in meinem Garten einzupflanzen und den ganzen Tag dort herumzustehen, damit ich alles bekomme, was ich brauche?«
Merlin lachte. »Menschen werden mit zwei Beinen geboren, damit sie nicht immer an derselben Stelle zu stehen brauchen. Aber wenn sie, statt nur herumzu-

laufen, hin und wieder stehenbleiben würden, um Dinge anzunehmen und schätzen zu lernen, dann könnten sie auch verstehen, was es auf sich hat mit dem Ehrgeiz, der von Herzen kommt.«
Der Ritter saß still da und dachte über Merlins Worte nach. Er schaute sich den blühenden Apfelbaum an. Er sah von dem Baum zu Hörnchen, dann zu Rebecca, dann zu Merlin. Weder der Baum noch die Tiere hatten Ehrgeiz, und Merlins Ehrgeiz kam eindeutig von Herzen. Sie alle sahen glücklich und wohlgenährt aus; sie alle waren wunderschöne Lebewesen.
Dann betrachtete er sich selbst. Er war dürr und unterernährt; sein Bart wurde allmählich wieder struppig; er war nervös und außerdem erschöpft, weil er die ganze Zeit seine schwere Rüstung mit sich herumtragen mußte. All das hatte ihm der Ehrgeiz eingebracht, der vom Verstand kommt, und nun wußte er, daß er an alledem etwas ändern mußte. Die Vorstellung machte ihm Angst, aber andererseits; was hatte er denn noch zu verlieren? Er hatte ja bereits alles verloren.
»Von diesem Augenblick an wird mein Ehrgeiz von Herzen kommen«, schwor der Ritter.
Als er diese Worte sprach, verschwanden Merlin und die Burg, und der Ritter stellte fest, daß er sich mit Rebecca und Hörnchen wieder auf dem Pfad der Wahrheit befand. Neben dem Pfad floß ein glitzernder Bach. Der Ritter ging in die Knie, um daraus zu trinken, und stellte überrascht fest, daß die Rüstung

an seinen Armen und Beinen gerostet und abgefallen war. Außerdem war sein Bart wieder sehr lang geworden. Scheinbar hatte auch die Burg Erkenntnis, wie die Burg Schweigen, die Zeit auf den Kopf gestellt. Der Ritter dachte über dieses erstaunliche Phänomen nach und kam zu dem Schluß, daß Merlin recht hatte. Die Zeit verging tatsächlich schneller, wenn man sich selbst zuhörte. Er erinnerte sich, wie langsam die Zeit oft vergangen war, wenn er sich darauf verlassen hatte, daß andere sie ihm vertrieben.

Nun, da von seiner Rüstung nur noch der Brustharnisch übrig war, fühlte sich der Ritter so leicht und so jung wie seit Jahren nicht mehr. Er stellte auch fest, daß er sich so gut leiden konnte wie seit Jahren nicht mehr. Mit dem entschlossenen Schritt eines jungen Mannes brach er auf zur Burg Wille und Wagemut. Rebecca flog über ihm und Hörnchen folgte ihm auf den Fersen.

VI. Die Burg Wille und Wagemut

Am nächsten Morgen bei Tagesanbruch erreichte das ungleiche Trio die letzte Burg. Sie war größer als die anderen, und ihre Mauern sahen dicker aus. Zuversichtlich, daß er auch diese Burg bald hinter sich lassen würde, betrat der Ritter gemeinsam mit den Tieren die Zugbrücke.
Als sie die Brücke zur Hälfte überquert hatten, krachte das Burgtor auf, und ein großer, bedrohlicher, feuerspeiender Drache mit glitzernden, glänzenden Schuppen kam ihnen entgegengestampft. Der Ritter blieb wie angewurzelt stehen. Er hatte in seinem Leben schon so manchen Drachen gesehen, aber dieser hier stellte sie alle in den Schatten. Er war riesengroß, und die Flammen schossen ihm nicht nur aus dem Maul, wie es bei jedem Feld-Wald-und-Wiesen-Drachen der Fall war, sondern auch aus Augen und Ohren. Zu allem Übel waren die Flammen auch noch blau, was bedeutete, daß dieser Drache einen hohen Butangehalt hatte.
Der Ritter griff nach seinem Schwert, doch seine Hand blieb leer. Er fing an zu zittern. Mit krächzender, nicht wiederzuerkennender Stimme rief der Ritter Merlin um Hilfe an, aber zu seiner tiefen Bestürzung erschien der Zauberer nicht.

Der Ritter wurde nervös. »Warum kommt er denn nicht?« fragte er, während er einer tiefblauen Flamme aus dem Maul des Ungeheuers auswich.

»Ich weiß nicht«, antwortete Hörnchen. »Normalerweise ist er ziemlich verläßlich.«

Rebecca, die auf der Schulter des Ritters saß, legte den Kopf auf die Seite und horchte aufmerksam. »Nach dem, was ich aufschnappen kann, ist Merlin momentan unabkömmlich.«

Er kann mich doch jetzt nicht im Stich lassen, dachte der Ritter. Er hat mir versprochen, daß es auf dem Pfad der Wahrheit keine Drachen gibt.

»Damit meinte er gewöhnliche Drachen«, donnerte das Ungeheuer mit einer Stimme, die so laut dröhnte, daß die Bäume erbebten und Rebecca dem Ritter beinahe von der Schulter gefallen wäre.

Die Lage sah ernst aus. Ein Drache, der Gedanken lesen konnte, war zweifellos von der übelsten Sorte, aber irgendwie gelang es dem Ritter, sich zusammenzureißen. Er hörte auf zu zittern, versuchte, seine Stimme so fest und laut wie möglich klingen zu lassen, und rief: »Geh mir aus dem Weg, du überdimensionaler Bunsenbrenner!«

Das Biest schnaubte verächtlich und schleuderte dabei Flammen in alle Richtungen. »Für 'nen Angsthasen hast du 'ne ziemlich große Klappe!«

Der Ritter, der nicht wußte, was er jetzt tun sollte, versuchte, Zeit zu schinden.

»Was hast du überhaupt in der Burg Wille und Wagemut zu suchen?« fragte er.

»Kannst du dir für mich einen besseren Ort vorstellen? Ich bin der Drache Furcht und Zweifel.«
Der Ritter mußte zugeben, daß der Name gut zu dem Drachen paßte. Furcht und Zweifel waren genau die Gefühle, die ihn ergriffen hatten.
Der Drache brüllte wieder los. »Ich bin hier, um all die Schlauberger zu rösten, die glauben, sie könnten alle anderen in die Pfanne hauen, bloß, weil sie durch die Burg Erkenntnis gegangen sind.«
Rebecca flüsterte dem Ritter ins Ohr. »Merlin hat einmal gesagt, daß Selbsterkenntnis den Drachen Furcht und Zweifel besiegen kann.«
»Glaubst du daran?« flüsterte der Ritter zurück.
»Ja«, sagte Rebecca entschieden.
»Dann leg du dich doch mit diesem netten grünen Flammenwerfer an!«
Der Ritter machte kehrt und ging rasch über die Zugbrücke zurück.
»Ha, ha, ha«, lachte der Drache, und mit seinem letzten »Ha« hätte er dem Ritter beinahe den Hosenboden versengt.
»Willst du etwa aufgeben, nachdem du schon so weit gekommen bist?« fragte Hörnchen, während der Ritter sich mit der Hand die Funken vom Hinterteil wischte.
»Ich weiß nicht«, antwortete der Ritter. »Ich habe mich an den ein oder anderen kleinen Luxus gewöhnt - wie zum Beispiel das nackte Leben.«
Sam meldete sich zu Wort. »Wie kannst du mit dir selbst leben, wenn du nicht den Willen und den

Wagemut aufbringst, deine Selbsterkenntnis zu prüfen?«
»Glaubst du denn auch, daß Selbsterkenntnis den Drachen Furcht und Zweifel besiegen kann?«
»Gewiß. Selbsterkenntnis ist Wahrheit, und du weißt doch, daß es heißt: Die Wahrheit ist mächtiger als das Schwert.«
»Ich weiß, daß es so heißt, aber hat das schon einmal jemand bewiesen und überlebt?«
Kaum hatte der Ritter diese Worte ausgesprochen, als ihm einfiel, daß er gar nichts zu beweisen brauchte. Er war als guter, freundlicher und liebevoller Mensch auf die Welt gekommen. Darum waren Furcht und Zweifel unnötig. Der Drache ist nur eine Illusion.
Der Ritter sah über die Zugbrücke hinweg zur anderen Seite, wo das Ungeheuer mit seinen Klauen die Erde aufriß und ein paar Büsche in Brand setzte. Wahrscheinlich wollte es nicht aus der Übung kommen. Der Ritter sagte sich immer wieder, daß der Drache nur existierte, wenn er an ihn glaubte, und marschierte noch einmal über die Zugbrücke.
Natürlich kam der Drache dem Ritter wieder entgegen, schnaubend und feuerspeiend. Diesmal schritt der Ritter weiter vorwärts, aber unter der Hitze des Drachenfeuers schmolz sein Mut, ebenso wie sein Bart, schnell dahin. Vor Angst und Schmerz schrie der Ritter auf, drehte sich um und rannte davon.
Der Drache ließ sein gewaltiges Lachen ertönen und schleuderte dem fliehenden Ritter einen glühendheißen Feuerschwall hinterher. Der Ritter heulte auf

und flog geradezu über die Zugbrücke hinweg, Hörnchen und Rebecca dicht hinter ihm. Er erblickte einen kleinen Bach, lief hinunter und tauchte rasch den Hosenboden ins Wasser, woraufhin die Flammen mit einem lauten Zischen erloschen.
Hörnchen und Rebecca standen oben am Ufer und versuchten, den Ritter zu trösten.
»Du warst sehr mutig«, sagte Hörnchen.
»Nicht schlecht für den ersten Versuch«, fügte Rebecca hinzu.
Erstaunt blickte der Ritter zu ihr auf. »Was soll das heißen, erster Versuch?«

Hörnchen erwiderte nüchtern, »Beim zweiten Mal wirst du es besser machen.«
»Beim zweiten Mal könnt ihr gehen!« gab der Ritter wütend zurück.
»Denk immer daran: Der Drache ist nur eine Illusion«, sagte Rebecca.
»Und das Feuer, das aus seinem Maul kam? Ist das auch nur eine Illusion?«
»Richtig«, antwortete Rebecca. »Das Feuer ist auch nur eine Illusion.«
»Warum sitze ich dann in diesem Bach mit einem verbrannten Hintern?«
»Weil du aus dem Feuer ein echtes gemacht hast, indem du geglaubt hast, der Drache sei echt«, erklärte Rebecca.
»Wenn du glaubst, daß der Drache echt ist, kann er dir das Hinterteil verbrennen und alle möglichen anderen Körperteile dazu«, sagte Hörnchen.
»Sie haben recht«, mischte sich Sam ein. »Du mußt zurückgehen und dem Drachen ein für allemal gegenübertreten.«
Der Ritter fühlte sich in die Enge getrieben. Drei gegen einen. Oder besser, zweieinhalb gegen eineinhalb, denn Sam stimmte Hörnchen und Rebecca zu, wogegen seine andere Hälfte lieber in dem Bach sitzen bleiben wollte. Sam versuchte, dem Ritter Mut zu machen. »Sieh mal, wenn du dem Drachen gegenübertrittst, wird er dich möglicherweise vernichten, aber wenn du dem Drachen nicht gegenübertrittst, wird er dich mit Sicherheit vernichten.«

»Es ist leicht, eine Entscheidung zu treffen, wenn man eigentlich gar keine Wahl hat«, sagte der Ritter. Widerwillig rappelte er sich auf, holte einmal tief Luft und machte sich erneut auf den Weg über die Zugbrücke.
Der Drache sah ungläubig auf. Dieser Ritter war ja ein ganz schön sturer Kerl. »Du schon wieder?« schnaubte er. »Also gut, diesmal werde ich dich wirklich verbrennen.«
Doch es war ein ganz anderer Ritter, der nun auf den Drachen zumarschiert kam - ein Ritter, der immer wieder vor sich hin sang, »Furcht und Zweifel sind nur Illusionen«.
Der Drache warf dem Ritter riesige, fauchende Flammen entgegen, eine nach der anderen, doch so sehr sich das Ungeheuer auch abmühte, es gelang ihm nicht, den Ritter zu verbrennen. Während der Ritter sich ihm näherte, wurde der Drache immer kleiner, bis er schließlich nicht größer war als ein Frosch. Nachdem sein Feuer erloschen war, spuckte der Drache dem Ritter einen Keim ins Gesicht - den Keim des Zweifels. Doch auch davon ließ der Ritter sich nicht aufhalten. Der Drache wurde noch kleiner, als der Ritter entschlossen weiter vorwärts schritt.
»Ich habe gewonnen!« triumphierte der Ritter.
Der Drache konnte kaum sprechen. »Dieses eine Mal vielleicht, aber ich werde wiederkommen, immer und immer wieder, um dir im Weg zu stehen.« Mit diesen Worten verpuffte er in einer Wolke aus blauem Dunst.

»Komm nur zurück, wann immer du willst«, rief der Ritter ihm nach. »Ich werde jedesmal ein wenig stärker sein, und du ein wenig schwächer.«
Rebecca flog auf und landete auf der Schulter des Ritters. »Siehst du, ich hatte recht. Selbsterkenntnis kann tatsächlich den Drachen Furcht und Zweifel besiegen.«
»Wenn du davon wirklich überzeugt warst, warum bist du dann nicht mit mir auf den Drachen zugegangen?« fragte der Ritter, der sich seiner gefiederten Freundin nun nicht mehr unterlegen fühlte.
Rebecca plusterte sich auf. »Ich wollte mich nicht einmischen. Es ist doch deine Reise.«
Lächelnd wandte sich der Ritter um und streckte die Hand aus, um das Burgtor zu öffnen, doch die Burg Wille und Wagemut war verschwunden!
»Du brauchst dir Willen und Wagemut nicht mehr anzueignen,« erklärte Sam, »denn du hast ja gerade gezeigt, daß du sie schon besitzt.«
Der Ritter warf den Kopf zurück und lachte aus vollem Herzen. Er konnte den Gipfel des Berges sehen. Der Pfad erschien dem Ritter noch viel steiler, als er vorher gewesen war, doch das war ihm einerlei. Er wußte, daß ihn nun nichts mehr aufhalten konnte.

VII. Der Gipfel der Wahrheit

Handbreit um handbreit hangelte der Ritter sich aufwärts, und seine Finger bluteten von den scharfen Felskanten. Kurz vor dem Gipfel wurde ihm der Weg von einem großen Felsbrocken versperrt. Der Ritter war nicht überrascht, eine eingemeißelte Inschrift darauf zu finden:

> Ist auch das ganze Weltall mein,
> besitz ich weder Baum noch Stein,
> denn wer stets am Bekannten hängt,
> dem bleibt das Unbekannte fremd.

Der Ritter war viel zu erschöpft, um dieses letzte Hindernis zu überwinden. Es schien ihm unmöglich, den Sinn der Inschrift zu entschlüsseln, und sich dabei gleichzeitig am Berghang festzuklammern. Doch er wußte genau, daß er es versuchen mußte. Hörnchen und Rebecca hätten am liebsten ihr Mitgefühl gezeigt, doch sie hielten sich zurück, denn sie wußten, daß Mitgefühl einen Menschen schwächen kann.
Der Ritter holte tief Luft, woraufhin er ein wenig klarer denken konnte. Dann las er den letzten Teil der Inschrift laut:

Denn wer stets am Bekannten hängt,
dem bleibt das Unbekannte fremd.

Er dachte darüber nach, was ihm
alles bekannt war und woran er
sein ganzes Leben lang gehangen
hatte. So war ihm bekannt, wer er war -
für wen er sich hielt und für wen er sich
nicht hielt. Dann war ihm bekannt, woran
er glaubte - was er für wahr hielt und was
er für unwahr hielt. Und ihm war bekannt,
wie er urteilte - was er für gut und was er
für schlecht erachtete. Der Ritter sah zu
dem Felsen auf, und ein erschreckender
Gedanke schoß ihm durch den Kopf:
Auch der Felsen, an den er sich gerade
verzweifelt klammerte, war ihm bekannt. Bedeutete die Inschrift etwa,
daß er loslassen mußte, damit er in
den Abgrund des Unbekannten
stürzte?
»Du hast es erfaßt, Ritter«, sagte
Sam. »Du mußt loslassen.«
»Willst du uns beide umbringen,
oder was?« schrie der Ritter.
»Im Grunde sind wir schon
dabei zu sterben. Sieh dich
doch nur einmal an. Du
bist so dünn, daß man
dich unter einer Tür

durchschieben könnte. Und du stehst sehr unter Druck und hast große Angst.«
»Ich bin bei weitem nicht so ängstlich, wie ich es früher war.«
»Wenn das so ist, dann laß los - und vertraue«, sagte Sam.
»Vertrauen? Wem denn?« Der Ritter hatte allmählich genug von Sams Philosophie.
»Nicht wem«, antwortete Sam. »Es ist kein Jemand, sondern ein Etwas.«
»Ein Etwas?«
»Ja«, sagte Sam, »das Leben, die Kraft, das Universum, Gott - wie du es auch immer nennen willst.«
Der Ritter blickte über seine Schulter in den scheinbar bodenlosen Abgrund unter ihm.
»Laß los«, flüsterte Sam eindringlich.
Wie es aussah, blieb dem Ritter keine andere Wahl. Seine Kräfte schwanden rasch, und inzwischen sickerte ihm Blut aus den Fingerspitzen, mit denen er sich am Felsen festklammerte. In dem Glauben, daß er nun sterben würde, ließ der Ritter los und stürzte hinab, hinab in die unendliche Tiefe seiner Erinnerungen.
Ihm fielen all die Dinge in seinem Leben ein, für die er allen anderen die Schuld gegeben hatte: seiner Mutter, seinem Vater, seinen Lehrern, seiner Frau, seinem Sohn, seinen Freunden. Während er tiefer ins Leere stürzte, ließ er von all den Urteilen ab, die er gegen sie gefällt hatte.
Immer schneller fiel er hinab, so daß ihm schwinde-

lig wurde, während der Verstand ihm ins Herz sank. Dann, zum allerersten Mal, sah er sein Leben klar und deutlich, frei von allen Urteilen und allen Ausflüchten.

In diesem Augenblick nahm er die volle Verantwortung für sein Leben auf sich, für den Einfluß, den andere Leute darauf gehabt, und für die Ereignisse, die es geprägt hatten.

Von nun an wollte er nicht länger die Schuld für seine Fehler und Mißgeschicke irgend jemandem oder irgend etwas außer sich selbst geben. Nachdem er erkannt hatte, daß er die Ursache war und nicht die Wirkung, fühlte er sich wieder stärker. Er war nun frei von Angst.

Während ihn ein ungewohntes Gefühl der Ruhe überkam, geschah etwas Sonderbares: Er fing an, aufwärts zu fallen! Ja, tatsächlich, so unmöglich es auch scheinen mochte, er fiel hinauf, hinauf aus dem Abgrund! Gleichzeitig fühlte er sich immer noch verbunden mit dem tiefsten Punkt dieses Abgrundes - ja, er fühlte sich verbunden mit dem Mittelpunkt der Erde selbst! Er fiel immer höher und höher und war sich dabei bewußt, daß er sowohl mit dem Himmel als auch mit der Erde verbunden war.

Plötzlich hatte er aufgehört zu fallen. Er stand auf dem Gipfel des Berges, und erkannte die volle Bedeutung der Inschrift auf dem Felsen. Er hatte alles losgelassen, wovor er sich gefürchtet hatte, und alles, was ihm bekannt gewesen war und was er besessen hatte. Seine Bereitschaft, das Unbekannte anzunehmen, hatte ihn befreit. Nun gehörte ihm das ganze Weltall, und er konnte es wahrnehmen und genießen.

Der Ritter stand auf dem Gipfel des Berges und atmete tief durch. Ein überwältigendes Gefühl von Behaglichkeit durchflutete ihn. Ihm wurde schwindelig, so verzaubert war er von dem, was er von der Welt wahrnahm. Von dem, was er um sich herum sah, hörte und fühlte. Die Furcht vor dem Unbekannten hatte ihm bisher immer die Sinne betäubt, doch nun war er fähig, alles mit atemberaubender Deutlichkeit wahrzunehmen. Die Wärme der Nachmittagssonne, die Melodie des warmen Bergwindes und die Schönheit der Natur, ihrer Formen und ihrer Farben, welche die Landschaft bunt machten, so weit er blicken konnte - all das erfüllte den Ritter mit einer unbeschreiblichen Freude. Sein Herz floß über vor Liebe - zu sich selbst, zu Juliet und Christopher, zu Merlin, zu Hörnchen und Rebecca, zum Leben und zu der ganzen wunderbaren Welt.

Hörnchen und Rebecca sahen zu, wie der Ritter auf die Knie fiel, wobei ihm Tränen der Dankbarkeit aus den Augen strömten. Beinahe wäre ich an den Tränen gestorben, die ich immer zurückgehalten habe, dachte er. Die Tränen rannen ihm über die Wangen, durch seinen Bart und hinunter auf seinen Brustharnisch. Da sie aus tiefstem Herzen kamen, waren die Tränen außerordentlich heiß, und so brachten sie rasch zum Schmelzen, was von seiner Rüstung noch übrig war.

Der Ritter gab einen Freudenschrei von sich. Nie wieder würde er seine Rüstung anlegen und in alle Richtungen gleichzeitig davonreiten. Nie wieder würden die Leute die Spiegelung von Licht sehen, das auf poliertes Eisen fällt und glauben, die Sonne gehe im Norden auf oder im Osten unter.

Er lächelte durch seine Tränen hindurch, ohne zu wissen, daß nun ein strahlendes neues Licht von ihm ausging, ein Licht, das viel heller glänzte und viel schöner war, als seine Rüstung in ihren glänzendsten Zeiten, glitzernd wie ein Bach, strahlend wie der Mond, blendend wie die Sonne.

Denn tatsächlich war der Ritter der Bach. Er war der Mond. Er war die Sonne. Er konnte jetzt all diese Dinge auf einmal sein, und mehr, denn er war eins mit dem Universum.

Er war die Liebe.

Er hatte zu sich selbst gefunden.

Der Autor Robert Fisher ist in den USA bekannt für seine Komödien. Als er 19 Jahre alt war, bekam er seinen ersten Job als Autor für die Radioshow von Groucho Marx.
Seit dieser Zeit schreibt er für fast alle Top-Kabarettisten und Komiker in den USA, unter anderem für Bob Hope, Red Skelton, Georg Burns u.v.a. Robert Fisher ist Autor und Co-Autor von über vierhundert Radioshows und fast eintausend Fernsehshows.
Außerdem schrieb er eine Vielzahl von Stücken für Boulevard-Theater und Drehbücher.

Der Illustrator Ekart Stöhr studierte nach dem Besuch der Freien Kunstschule Stuttgart an der Akademie der Bildenen Künste und belegte einige Semester Kunstgeschichte an der Universität Stuttgart.
Stöhr lebt und arbeitet als freier Künstler, Portraitist und Cartoonist in Schwäbisch Gmünd.

Schon jetzt ein Klassiker!

Roland Kübler

Die Sagen um Merlin, Artus und die Ritter der Tafelrunde

320 Seiten · illustriert
ISBN 3-926789-01-8

Roland Kübler schafft es,
die älteste Überlieferug des Grals-Mythos
zu einem spannenden Buch zusammenzufassen.
Nichts von angestaubter Mythologie,
die handelnden Personen, gleich ob es sich um
historische oder mythologische Gestalten handelt,
werden lebendig.